# Chanson de la ville silencieuse

## DU MÊME AUTEUR

*Je vais bien ne t'en fais pas*
Le Dilettante, 2000 ; Pocket, 2002.

*À l'ouest*
Éditions de l'Olivier, 2001 ; Pocket, 2001.

*Poids léger*
Éditions de l'Olivier, 2002 ; Points, 2004.

*Passer l'hiver*
Éditions de l'Olivier, 2004 (Bourse Goncourt de la nouvelle), Points, 2005.

*Falaises*
Éditions de l'Olivier, 2005 ; Points, 2006.

*À l'abri de rien*
Éditions de l'Olivier, 2007 ; Points, 2008 (Prix France Télévisions, Prix Populiste).

*Des vents contraires*
Éditions de l'Olivier, 2008 ; Points, 2009 (Prix RTL/Lire).

*Kyoto Limited Express*
avec Arnaud Auzouy, Points, 2010.

*Le Cœur régulier*
Éditions de l'Olivier, 2010 ; Points, 2011.

*Les Lisières*
Flammarion, 2012 ; J'ai lu, 2013.

*Peine perdue*
Flammarion, 2014 ; J'ai lu, 2015.

*La renverse*
Flammarion, 2016 ; J'ai lu, 2017.

Olivier Adam

# Chanson de la ville silencieuse

*roman*

Flammarion

ISBN : 978-2-0814-2203-2

*Pour Karine*

*À Juliette*

« Je suis au marécage interne
l'appartement où tout se noie
Chanter est façon d'être nu
Chanter est ma façon d'errer. »

Jean-Louis MURAT

# I

# Le fond des fleuves

Tout ici succombe à l'inclinaison. Les tuiles orange coulent en cascades, ruissellent des ruelles, se suspendent aux abords des belvédères, puis replongent vers le fleuve. La ville entière semble s'y glisser peu à peu, se couler dans ses eaux bleu nuit, y sombrer sans fin. Sous la surface opaque, j'imagine des quartiers anciens. Des palais délabrés engloutis par les flots. Enlisés dans les sables.

Je claque la porte de la chambre un peu triste, descends trois étages de bois sombre, murs recouverts de papier peint gondolé, se décollant par endroits, percés d'appliques grésillantes. Derrière le comptoir de la réception, une femme vêtue de noir me sourit. Veille sur sa constellation de clés. Je quitte l'hôtel et débouche dans la lumière acide du printemps. Les escaliers s'effondrent en douceur. Je les dévale sans hâte, les yeux brûlés, aspirée par l'océan lointain, à peine entravée par les allées courbes, enserrées par les façades décrépies où s'effrite un nuancier fané d'azulejos.

Un promontoire me retient. De l'asphalte surgissent des arbres mauves, dévorés de ciel. L'estuaire se déploie en contrebas, lacéré de rubans turquoise, virant au gris aluminium à la faveur d'un nuage. Puis de nouveau la ville s'abandonne.

Plus rien ne s'oppose.

Tout consent à la noyade.

Au hasard d'un lacet, une place en triangle. Ici aussi tout décline. Les pavés irréguliers tentent d'épouser la pente. D'arbres en lampadaires courent des guirlandes de fanions, d'ampoules multicolores. Quelques tables branlantes, cernées de chaises instables, sont jetées là comme au hasard. Une devanture écaillée, surmontée d'un bandeau de bois lézardé signale un café. De la salle sombre, étagères chargées de trophées sportifs astiqués du jour, murs constellés de photographies signées, Cristiano Ronaldo cheveux huilés par le gel, s'échappe une chanson languide. À l'ombre des arbres, des types en sandales, bermudas et tee-shirts, cheveux en pagaille et barbe de six jours, sirotent des rhums arrangés en attendant la fin du monde, sans inquiétude apparente. Je prends place et les imite, me laisse bercer par l'alcool. Les lèvres couvertes de sucre et de vanille, me noie dans la douceur de leur langue, dont je ne saisis rien, pas le moindre mot. Je regarde l'heure. Comme hier la nuit sera longue à venir. Rien ne la presse. Aucun agenda, aucune occupation.

Cela fait trois jours que je sillonne ainsi la ville, trois jours que je dérive au hasard en attendant qu'à la brune les restaurants se remplissent. Alors j'arpente les rues confites dans la lumière dorée, le trouble orangé des réverbères, me cogne au flot des touristes, des passants éméchés, seulement guidée par des lambeaux de musique dont je cherche la source, traquant leur origine jusqu'à la prochaine terrasse où s'attablent les dîneurs, le bourdon des conversations ne laissant qu'un mince filet de son au musicien qui joue pour eux, enchaîne deux ou trois morceaux avant de tendre sa casquette pour y cueillir quelques pièces, puis disparaît dans les ruelles, sa guitare à la main, en quête d'une autre place, d'un autre bar. Aux serveurs, aux patrons, aux clients, je montre les photos. La plupart haussent les épaules. De temps en temps un type acquiesce, oui, il l'a déjà vu mais pas ce soir, ni ces derniers jours. Personne n'en sait beaucoup plus. Il arrive de nulle part, armé de son instrument et d'une chaise pliante, s'installe et commence à chanter, les yeux fermés. Des vieilleries en anglais. Parfois en italien ou en portugais. Des chansons en français, aussi. Quand il a fini, il adresse un petit signe au patron, aux gens attablés, sourit doucement aux applaudissements et repart sans un mot. Sans même demander d'argent.

Et c'est beau ?

Beau ? Ce n'est pas simplement beau, c'est déchirant. Beau et déchirant, me répond l'homme au comptoir du restaurant argentin. Il est chauve et une épaisse moustache ombre ses lèvres. Je lui laisse mon numéro, lui demande de m'appeler s'il réapparaît.

Vous êtes de la police ? me lance-t-il sur le ton de la blague, son français chuintant sous l'accent lisboète.

Je lui offre un maigre sourire suppliant. Il hoche la tête et je m'enfuis sans un mot, traverse la salle où s'activent des serveurs. Leur beauté, le soin qu'ils portent à leur allure trahissent l'alimentaire, le boulot d'appoint en attendant un rôle, un contrat, la bonne rencontre, le bon moment. Le patron me rattrape, me ralentit d'une main sur l'épaule.

Il joue souvent en contrebas du Bairro Alto, me souffle-t-il comme on partage un secret. Praça das

Flores. Trois restaurants s'y alignent face à un square arboré. Le gérant du plus modeste est un ami, je peux venir de sa part.

Un mois plus tôt, j'étais à Paris et ils avaient atterri l'après-midi même. Ils m'attendaient à la terrasse du café où nous avons nos habitudes. Sur les tables les bougies vacillaient dans leurs photophores rouges et bleus. La nuit déposait son filtre sur la ville, en adoucissait les contours.

Alors, Lisbonne, c'était bien ?

Ils se tenaient la main en souriant. Oui c'était bien. Cette beauté décatie. Cette langueur féroce. Tiens c'est drôle on a croisé ton père, a fait Théo en me tendant son portable. La photo était un peu floue. Dans le halo d'un lampadaire, un homme jouait de la guitare. Sa bouche entrouverte suggérait une chanson. Une place se devinait, ou une terrasse, d'où l'image était prise. J'ai effleuré l'écran, zoomé sur le visage, suis revenue au plan large. J'ai scruté les vêtements : c'était un musicien des rues vêtu comme un prince. Des santiags élimées émergeaient deux jambes maigres, serrées dans un pantalon noir. Une veste de velours patiné oscillait entre le prune et le bordeaux. La chemise à motifs délicats disparaissait un peu sous le foulard de soie. Un chapeau noir assombrissait le visage émacié. Joues creuses et ridées, lèvres fines qu'encadraient deux fossettes aussi longues que profondes, nez d'aigle et yeux de loup.

T'as vu. C'est fou. C'est son sosie en vieux.

Je lui ai rendu le téléphone en acquiesçant. C'est vrai qu'il lui ressemblait. Une version un peu plus usée de lui-même. Du portrait qui s'est figé à l'heure de son retrait. Plus encore que Théo ne semblait le croire. Comment aurait-il pu en être autrement. Personne ne l'a plus vu depuis quinze ans. À part le fameux cliché au fusil, le regard halluciné, le torse maigre, la mise hirsute. Personne ou presque depuis qu'il a mis un terme à sa carrière. S'est reclus dans sa maison là-bas. N'acceptant aucune visite sinon la mienne de temps à autre. Se muant en ermite, en fou mystique, en alcoolique délabré, en artiste maudit, au fil des rumeurs, au gré des versions. Une panoplie de légendes urbaines qui ne s'est jamais vraiment fanée malgré les années. Qu'a encore ravivée l'annonce de son décès. Ses vieux tubes passent toujours sur les ondes. Son nom ne dit plus grand-chose aux plus jeunes mais il reste gravé dans la mémoire de toute une génération. Chacun a un souvenir, une anecdote liée à une de ses chansons. Et on ne compte plus les chanteurs, émergeant ces temps-ci ou plus installés, citant son nom au titre de leurs références, vouant un culte à ses compositions les plus sombres, les plus opaques, les plus tortueuses, celles-là mêmes qu'il considérait comme essentielles mais que les radios ne programmaient jamais, celles-là mêmes que les directeurs artistiques rechignaient à garder sur les albums. Aujourd'hui on les exhume, on se les repasse comme des secrets bien gardés. Quand je lui en parlais les derniers temps, il minimisait, se contentait de hausser les épaules. Tout cela était derrière lui désormais, disait-il. Une vie ancienne, périmée. Qui ne l'intéressait plus. Quant à ces jeunes chanteurs qui l'invoquaient à tour de bras, il les soupçonnait de moins aimer ses chansons que le personnage, ou l'idée qu'ils s'en faisaient. Le parcours. L'attitude. Le dernier disque. Crépusculaire. Radical. La disparition volontaire. La réclusion. Le silence définitif.

Quelques verres plus tard, embrumés par l'alcool, ce même soir à Paris, nous marchons au hasard et Sofiane me tient par le bras. Le long des rues silencieuses, tendus vers un ciel sans étoiles, les arbres se frottent aux pierres blondes des immeubles. Des escaliers plantés de lampadaires s'enfoncent dans la nuit, croisent des rues bordées de murs de pierre où s'accrochent des lianes de vigne vierge. Aux façades des hôtels particuliers s'allument des fenêtres cossues. Des tableaux s'y décadrent, au milieu de bibliothèques aux livres serrés. À l'arrière, se devinent des jardins plantés de grands arbres dévorés de lierre. Sur les piliers bordant les lourds portails veillent des aigles de plâtre, une chouette, un mystérieux bestiaire nocturne. Allée des Brouillards, nous faisons une halte. Quatre magnolias éteints camouflent une folie. Adossé aux balustrades de pierre blanche, une cigarette aux lèvres, Théo rit pour un rien, veut aller danser. Gagner les Abbesses par la rue

d'Orchampt puis fondre sur Pigalle. Il insiste mais
je ne suis pas d'humeur. Tu l'es rarement, déplore-
t-il. Et c'est vrai au fond. Je n'ai jamais été du genre
à danser sur les tables. Ils me sourient, me jugent
incorrigible, ne semblent pas deviner que ce soir
c'est autre chose. Autre chose que l'effacement qui
me tient lieu de caractère. En dépit duquel, et pour
quelles raisons au fait, ils m'entourent d'une affection jamais démentie, m'entraînent dans leur sillage
depuis que les hasards de nos vies professionnelles
nous ont fait nous rencontrer. Je me demande
souvent ce qu'ils me trouvent. Je me le demande
en toutes circonstances, d'ailleurs. Envers tous et
chacun. Tous ceux qui un jour ont eu la délicatesse
de se pencher sur mon cas, de m'accueillir dans leur
vie. D'y aménager une place.

Arrivée devant chez moi je les laisse rejoindre
leur nuit sans repos, leur vie d'insomniaques. Un
peu plus tôt dans la soirée, je ne leur ai rien dit
après leur avoir rendu le téléphone, tandis que
l'écran s'éteignait de lui-même et que le sosie de
mon père se fondait dans le noir sidéral. Ils savent
si peu de moi. Se contentent du peu que je leur
donne. Nos babillages, nos sarcasmes, nos plaisan-
teries acides. Des verres en terrasse, des films côte à
côte dans l'obscurité des salles. Nos pas dans les
salles d'exposition. Nos regards échangés aux balcons des théâtres. Nos soirées dans des appartements baignés d'alcool et de musique. Affalés sur

des canapés où ils m'encadrent, me protègent. Mes si frêles et gracieux gardes du corps. Sofiane aussi brun et doux que Théo peut être blond et aigu. À demain, leur dis-je en me demandant où ils puisent l'énergie de veiller jusqu'aux petites heures, puis de se présenter le matin au bureau, lourdement cernés mais toujours légers, alanguis, sourires usés, nimbés de douce fatigue. Je les regarde s'éloigner dans les rues de Montmartre, fiévreux et déjà dansants, pris dans la gaîté de l'ivresse, se tenant par la main et penchant parfois la tête pour la poser sur une épaule.

Je pousse la lourde porte, laisse le hall à l'obscurité, me passe de lumière. Grimpe à tâtons des escaliers de bois s'enroulant sur eux-mêmes. Les marches craquent à peine sous mes pas. Ce sont ceux d'une enfant. Partout où je me glisse, c'est sur la pointe des pieds. À chaque étage, chaque palier, je tends l'oreille. Un filet de musique, un téléviseur en sourdine, une respiration perdue dans le sommeil. Un pleur de nourrisson, des mots échangés avant de succomber au sommeil. Je ne connais aucun de mes voisins. J'oublie souvent leurs visages. Parfois dans la rue ils me saluent et plusieurs minutes me sont nécessaires pour réaliser que nous partageons une même adresse. Je ne sais rien d'eux mais ils m'entourent et me veillent, m'enveloppent comme la ville tout entière. Je glisse à l'aveugle la clé dans la serrure. Allume une à une des guirlandes de papier, de faibles ampoules tamisées d'abat-jour. Les tapis laissent apparaître un peu de bois du parquet, strié de veines et d'yeux sévères. Les photos accrochées aux murs, les tableaux se déchiffrent à peine. À l'extérieur, dans les bureaux, les boutiques, les appartements, les éclairages trop crus me blessent. Les néons froids, les laids allogènes, les ampoules nues accrochées aux plafonds. Une écharde dans la rétine, une autre dans le cœur. Quand nous vivions encore ensemble, Simon se moquait de moi. De ma tanière obscure. Il n'en pouvait plus à la fin. Me sommait d'ouvrir les rideaux. Rêvait de lumières franches. De laisser entrer le jour. Toi qui as le goût des grands soleils, des cieux lavés, des printemps limpides. L'été contaminé par la mer. Tout cela n'avait pas le moindre sens à ses yeux. Il supportait de plus en plus mal mes contradictions. Mes manies. Mes empêchements. Mes troubles obsédants, persiflait-il. Les objets que j'assignais à des emplacements précis, millimétrés. Les plafonniers que j'avais privés d'ampoules. Le volume de la musique, du téléviseur, que je maintenais au minimum. Le signe que je lui adressais dès qu'il me semblait qu'il élevait la voix et qu'on pouvait nous entendre. Ma peur constante de déranger les voisins. Mon incapacité à supporter le moindre accès de violence dans les films. Mes yeux humides à la moindre occasion. Mes rires en sourdine. Ma façon de vérifier cent fois que la porte était bien fermée, les robinets coupés, les appareils électriques

éteints avant de quitter l'appartement. Mes itinéraires maniaques, les rues que j'évitais, celles qui me
valaient des détours sans logique. Bien sûr tout avait
empiré à la fin de l'été. J'étais sans nouvelles de mon
père. Puis on avait annoncé son décès. Son corps
voguait quelque part, introuvable, tapi dans le
silence des rivières. Je n'étais pas certaine de pouvoir
m'y résigner. Prêtais l'oreille aux rumeurs, à la
moindre divagation. Guettais les signes. Les apparitions. Le sommeil me fuyait. J'avais froid en permanence. Sursautais au moindre bruit. Ne parlais plus
qu'à voix basse. Simon me suppliait de consulter un
docteur. Parlait de déni. De pensées délirantes. Me
taxait d'irrationalité. Tu es en train de devenir folle.
Et ce n'est plus un appartement, ici. C'est un tombeau. Qu'est-ce que tu cherches ? Ce n'est pas toi
qui es morte, bordel. Ce n'est pas toi. C'est lui. Et
puis : ce n'est pas comme si vous aviez été vraiment
proches. Tu me l'as toujours dit. Au fond tu le
connaissais si peu. Et il a si peu pris soin de toi.

J'allume la chaîne. Un piano nu égraine des
notes suspendues. Sur l'ordinateur, je tape le nom
de mon père. Puis : Lisbonne. Une dizaine de
résultats s'affichent. Autant de photos. Et de com-
mentaires sur le ton de la plaisanterie. On a
retrouvé Antoine Schaeffer. Même pas mort. Lol.
Tous les clichés se ressemblent, bordés de dîneurs

attablés et brouillés par la nuit. Adoucis par le flou doré des éclairages. Velours des vestes satinées. Foulards, chapeaux. Yeux délavés dans le visage au scalpel. Fossettes, creusées jusqu'à l'os. J'agrandis chaque image, examine le grain épais des pixels. Un instant, ma gorge se serre. Je suis cette fille qui n'est pas sûre de reconnaître son père. Qui n'est pas sûre d'avoir bien compris qu'il était mort. Qui n'a jamais été bien sûre de l'avoir connu un jour.

J'éteins l'ordinateur. L'écran efface sans ménagement le fantôme de mon père. N'en garde aucune trace. Aucun souvenir.

Étendue sur le lit je ferme les yeux pour y voir clair. Les mois, les années se confondent. S'emmêlent. Se superposent. Des strates. Un empilement de voiles. Un film flou, désordonné, qu'on rembobine. Je remonte les saisons, gagne l'amont de rivières, d'où s'échappent des affluents aux sources imprécises. Dérive des semaines en arrière. Nage à contre-courant.

C'est un matin d'automne. Alors mon père est encore réputé vivant. Il ne s'est pas encore tout à fait volatilisé. Il se contente de se terrer dans son repaire. Et de s'en tenir au silence. Je patiente au pied de la rue des Saules. Le bus arrive, je m'y engouffre, me cogne aux passagers. Plongé dans un demi-sommeil, chacun vole un peu de nuit à la lumière du jour. Paris défile et peine à s'extraire des limbes. Comme toujours, je descends loin de ma destination. Regarde le bus disparaître dans le trafic encore clair. Marche lentement jusqu'au fleuve. L'eau file nerveuse, secouée de spasmes, inhabituel-lement vivante. Sur le pont, le vent me griffe au visage. Je flâne, fais des détours, saute d'île en île. Une lumière rosée repeint les berges, caresse les immeubles. Les rues s'animent peu à peu. On se presse aux comptoirs. Des enfants ensommeillés disparaissent dans leurs manteaux d'hiver, trop chauds pour la saison, ploient sous l'ennui qu'ils escomptent et des cartables deux fois plus larges qu'eux. Les livreurs s'affairent, immobilisent leurs camionnettes sous le regard furieux des automobilistes. Chaque jour je change d'itinéraire. Je pourrais marcher des heures ainsi, traquant un détail, un visage, fondue dans la ville, petite partie d'un tout, sans utilité, sans signification particulière. Atome silencieux. Un rôle qui me convient. Suffit à ma propre justification.

Je pousse une grille ajourée et traverse la cour. Entre les pavés pousse un peu d'herbe. Le marronnier jaunit jour après jour, se déplume sans hâte. Quelques branches débordent sur la rue, assombrissent le trottoir. Je suis la première arrivée. Dans les bureaux ne bourdonne aucun ordinateur. Les téléphones demeurent muets. Aucune conversation alentour, aucun bruit de pas, toux, respiration. Pas même le tremblement du percolateur. Je m'installe à mon poste, tente de me concentrer sur mon texte mais le sens se dérobe. Aucune phrase ne s'imprime. Au bout de dix lignes je perds le fil et dois reprendre à zéro. Pourtant rien n'obstrue. Rien ne parasite. D'une version à l'autre, de corrections en épreuves, c'est la sixième fois que je le lis. Je devrais le connaître par cœur. Mais tout se disperse. Les phrases ne sont plus qu'un enchaînement de mots. Les mots des énigmes. Un assemblage de lettres aléatoire. Cela arrive parfois. Quelque chose s'insinue dans le cerveau, une fine pellicule de coton, un drap de ouate, et l'esprit vogue dans la brume, comme absent à lui-même. L'auteur a vingt-cinq ans. Son écriture est précise et douce. Il déborde de talent discret, d'espoir à peine camouflé. Aussi inquiet qu'exalté par la publication à venir. À peine conscient que l'indifférence est la règle. Parfois je voudrais que tout s'arrête ici. Une fois le livre fabriqué. Qu'il n'y ait rien à ajouter. Que l'écriture se suffise. Même si ça n'a pas de sens. Qu'un livre n'existe pas sans lecteurs etc, etc. J'ai soudain l'impression d'entendre mon père. Que nos voix se confondent. Où vont les chansons qu'il compose depuis quinze ans. Que personne n'écoute. À part lui. La dernière fois qu'il s'est exprimé dans la presse, quelques mois après la sortie de son ultime album, ce fut pour annoncer qu'il mettait un terme à sa carrière, qu'il ne publierait plus aucun disque, qu'il se retirait et souhaitait qu'on le laisse en paix. Quand un journaliste l'a interrogé sur les raisons qui motivaient cette décision il a esquivé. Je n'y arrive plus voilà tout. C'est derrière moi. Ça s'est égaré quelque part. Ça m'a quitté. Certains continuent. Savent qu'ils ont perdu le fil, l'intensité, la nécessité, l'inspiration ou appelez ça comme vous voudrez. Mais continuent. Ils composent à côté, écrivent à côté. Ils le savent.

C'est derrière eux mais ils s'obstinent. Je ne veux pas être de ceux-là. C'est ce qu'il a dit, qu'il a laissé écrire. Et puis après plus rien. En dépit des sollicitations, des attentes. C'était un mensonge, bien sûr. Une feinte. Mais il a tenu parole. Plus rien n'est jamais sorti de chez lui. Même si depuis des dizaines de chansons ont vu le jour. Et n'ont reçu d'autres écoutes que celles des oiseaux, des arbres, des rivières. D'une poignée de quidams les premiers temps. Ou la mienne à la dérobée. Par inadvertance. Je rentrais du collège, du lycée. Rien ne signalait ma présence. Passant devant le studio, à travers la porte close, sa voix me parvenait en sourdine. Des lambeaux de guitare. Un piano décharné. Une mélodie nouvelle. Des mots inédits.

Soudain j'ai besoin de l'entendre. Une insidieuse angoisse. Un pressentiment absurde qui m'accompagne depuis le réveil. Pourtant je ne crois pas à ces conneries. Les ondes. Ce qui nous relie. Ces histoires d'énergie, de connexions. Tous ces trucs je les laisse à ma mère, je la laisse là où elle est, loin, quelque part en Californie. Elle est partie depuis si longtemps. J'étais encore une enfant.

Un peu plus tard ce jour-là, échouant à retrouver le fil du texte dont j'ai la charge, je finis par composer le numéro. La sonnerie se répète à l'infini. Ce jour-là ou un autre, peu importe : mon père ne possède pas de mobile. Ne décroche jamais à la maison. Et cela fait longtemps qu'il n'écoute plus son répondeur. De peur de tomber sur un journaliste, un directeur artistique, ou un de leurs émissaires. Même s'il est sur liste rouge. Même s'il s'en défend. Prétend ne jamais entendre sonner le téléphone. Ou, selon les fois, détester parler dans ce truc. Affirme qu'il va finir par suspendre la ligne, qu'il ne la garde ouverte qu'à mon attention. Ou en cas d'urgence. Même si à moi non plus il ne répond jamais. En dépit de mon prénom qui s'affiche.

Depuis son retrait, ils sont des dizaines à tenter de le joindre, à se heurter à la messagerie que Paul efface quotidiennement. Des mots qui sombrent dans le vide avant même d'avoir été entendus. Comme jamais prononcés. Quand je vivais encore là-bas, il m'arrivait d'en écouter quelques-uns, juste avant que Paul les renvoie aux ordures virtuelles. Surtout au début. Mais ce n'était jamais ceux que j'attendais. Lesquels au juste ? Ceux de ma mère je suppose. Aujourd'hui encore, quand je rends visite à mon père, je ne peux m'empêcher, attirée par le voyant qui clignote, d'en faire défiler une poignée. Ce sont toujours les mêmes mots qui s'empilent, inaltérés par les années. Le flux ne s'est jamais tout à fait tari. Ils appellent et s'entêtent. En quête d'un entretien exclusif. Prétextant un projet biographique. Une réédition de ses disques. Un énième best of. Un album d'hommage. Une maquette à soumettre à son approbation. Une collaboration éventuelle. Sous pseudonyme s'il le faut. Tentant en vain de le convaincre de publier quelque chose. Des fonds de tiroirs. Des esquisses. Des titres chantés en concert et jamais gravés. De nouvelles chansons puisque la rumeur court qu'il en existe. Et puis il y a les fans. Des femmes, surtout. Qui se mettent en tête de le remettre en selle. De lui redonner le goût d'écrire, de composer, de chanter. Elles se décrètent muses. Affirment le comprendre. Deviner ce qui le taraude. Elles s'offrent. Certaines hantent le village voisin, traînent aux abords de la maison. Elles ont toutes cette silhouette osseuse, ces grands yeux assoiffés un peu dingues, ce léger tremblement dans la voix. Elles pensent toutes que derrière le mutisme de mon père se cache une rupture, un chagrin sans fond, un vide sentimental, et se portent volontaires pour le combler. Les plus hardies, les plus instables aussi, se procurent le numéro de la maison. Paul a beau le faire changer tous les ans elles finissent toujours par le trouver, laissent des messages aussi incohérents qu'enflammés, appellent en plein cœur de la nuit. D'autres glissent des lettres sous la lourde porte de bois. Se hissent sur la pointe des pieds pour apercevoir le jardin, la maison, mon père peut-être, de l'autre côté du muret camouflé par les ronces et les mûriers, qui sépare le terrain des berges de la rivière. Elles s'installent sur les rochers les plus proches. Ajustent leurs deux-pièces et tendent leurs visages vers le soleil, huilent leurs corps qu'elles cambrent un peu. Bien sûr cela a commencé bien avant qu'il se retire. Elles faisaient le bonheur des musiciens de passage, venus pour une session d'enregistrement, une répétition, ou un de ces projets personnels pour lesquels mon père, de temps à autre, laissait le studio d'enregistrement à disposition. Lui, à l'époque déjà, haussait les épaules. Prétendait ne même pas les voir. Jetait leurs lettres sans les avoir lues. Répondait poliment quand l'une d'elles osait enfin l'aborder, affichant une distance courtoise qui coupait court. Du moins lorsque j'étais dans les parages.

Désormais il laisse croupir leurs missives dans la terre humide. Ne se hasarde plus dans les rues du village. Me répond que je me fais des idées quand au cours de nos promenades je lui désigne cette femme, là, qui nous suit à distance. La rivière est à tout le monde, dit-il. Et plus personne ne s'intéresse à moi. Tout le monde m'a oublié. Et c'est tant mieux. Je le laisse dire. Ne mentionne pas les dizaines de lettres reçues encore ces jours-ci. La sonnerie régulière du téléphone. Les curieux, les intrus qu'a encore chassés Paul la veille. Les émissaires éconduits. Les journalistes refoulés. Les admirateurs tenus à distance.

Je raccroche et rappelle aussitôt. Un autre numéro. Je laisse sonner longtemps. Ils sont âgés maintenant. Je sais le temps qu'il leur faut pour quitter le salon ou la chambre, et se rendre dans l'entrée où est posé leur appareil. À moins qu'ils ne s'affairent au jardin. Ne se soient absentés quelques heures. Une course au village. Quelques pas le long de la rivière ou des champs, une balade en forêt. Une main se pose sur mon épaule et je sursaute. Théo me sourit. Sofiane se tient en retrait. J'abandonne mes appels, me lève pour les embrasser. Comme souvent ils ne se sont pas couchés, ne sont même pas repassés chez eux, et leurs vêtements de la veille en sont légèrement froissés, leurs cheveux un peu collés par une sueur ancienne. Ils se sont aspergés d'un parfum qui aussitôt me monte à la tête. Bon, ben on va se coucher, plaisantent-ils en me tendant un café, avant de tourner les talons et de gagner leurs bureaux respectifs. Théo y super-vise les traductions. Littérature anglo-saxonne en premier lieu. Sofiane suit les essais. Littéraires pour la plupart. Psychanalytiques de temps à autre. Sociologiques à l'occasion. Nous sommes sept à travailler ici. Alain, le directeur et fondateur de la maison. Lise son bras droit. Pierrick, qui s'occupe des libraires, du diffuseur, des représentants, des aspects commerciaux et des déplacements d'auteurs. Et Inès, qui gère la communication. Aucun d'entre eux ne sera là aujourd'hui ni demain. Ils sont à Lyon où ils présentent les nou-veautés à venir à quelques libraires réunis autour d'un café et d'un plateau de viennoiseries. Après quoi ils partiront pour Aix où ils suivront le même programme. Sofiane et Théo auraient aussi bien pu rentrer chez eux. Personne ne se serait aperçu de leur absence. Ni de la mienne. Je pourrais aussi bien être ailleurs.

Deux heures plus tard je m'installe dans le train pour Valence. Je n'ai pas pris de bagages sinon deux jeux d'épreuves et quelques manuscrits. Avant de partir j'ai redirigé ma messagerie vers mon mobile. Laissé un message à Alain : une urgence m'appelle. J'ignore même pourquoi j'ai pris cette peine. Et celle de préciser que j'emportais du travail avec moi et serai là lundi. Aussitôt un message est apparu sur l'écran : Quand le chat n'est pas là les souris dansent... Si par hasard cette urgence familiale t'amène à croiser ton père, et qu'il va bien, ce que je souhaite, n'oublie pas que tu m'as promis de lui glisser un petit mot au sujet de tu sais quoi... Tu sais quoi signifiant : un auteur de renom s'est mis en tête d'écrire sur mon père et pense que sa notoriété et la bienveillance dont il bénéficie dans le milieu littéraire lui ouvriront des portes demeurées closes depuis quinze ans. Qu'avec mon appui il parviendra à fendiller le mur qu'oppose son idole au monde entier depuis la sortie de son dernier album. Le plus sombre de tous. Le plus opaque, sinueux, aventureux. Mal reçu à l'époque, devenu culte aujourd'hui. Ce qui d'après certains blessa mon père. Et causa son retrait. Le fit sombrer dans l'alcoolisme, la dépression ou autre chose. Les rumeurs le disaient détruit, ou en voie de dissolution volontaire. Sa dernière interview accréditait la thèse. Des témoignages anonymes, des sources présentées comme fiables, des gens qui prétendaient l'avoir croisé étayaient sans fin la théorie. Consolidaient la légende. Il y avait même quelques célébrités dont l'aura s'était depuis longtemps fanée, en mal de publicité, qui prétendaient compter au nombre de ses proches et donnaient de ses nouvelles, désastreuses pour la plupart. Que mon père n'ait pas eu le moindre contact avec eux depuis des années ne semblait pas les gêner. Ils répandaient partout les mêmes élucubrations. Mon père n'écrivait plus un mot. Ne sortait plus la moindre note de ses instruments. Il n'était plus bon à rien parce qu'il s'enfonçait dans les gouffres d'une neurasthénie nimbée d'alcool dont il ne se remettrait jamais. À moins que ce ne soit le contraire. Tout cela n'était pas tout à fait faux bien sûr. Mais exagéré tout de même. Pour ce que j'en savais. Pour ce dont j'étais témoin. Mon père composait encore. Écrivait, chantait. Et, aux dernières nouvelles, allait plutôt bien. Ou pas si mal. Il vivait reclus. Ne voulait plus rien avoir à faire avec le monde de la musique. Ni avec le monde tout court. Et si son dernier album avait joué un rôle là-dedans, ce n'était pas selon moi celui qu'on lui prêtait. Cet album était un point final. Une série de lettres d'adieu. Et un moyen de quitter la scène. D'acter le fossé qui le séparait d'un monde dont il avait été le prince et qu'il souhaitait déserter. Les maisons de disques. Les directeurs artistiques. Les salles de concert. Le public. Les journalistes. Les télévisions. Les radios. En composant ces chansons énigmatiques, d'une absolue noirceur, sans souci de plaire ni d'être compris, sans s'inquiéter même de leur réception, en n'en faisant qu'à sa tête, en se défiant des contraintes, des conventions, des formats, des modes, des attentes, il avait anticipé la suite.

L'accueil glacial. Le public déconcerté. Le directeur artistique lui intimant de vite rebondir, de produire un album efficace, un de ceux dont il avait le secret, qui réconciliaient la critique et le public. Un disque accessible. Il avait fait mine de prendre la mouche. Avait rendu son contrat. Donné quelques interviews funèbres sur la mort du disque, l'industrialisation de la musique, le règne des gestionnaires, du marketing. Annulé sa tournée. Annoncé qu'il arrêtait tout. Dans ces interviews, qu'on trouve encore sur YouTube, il paraissait usé, amer. Son agressivité cachait mal sa blessure, notaient les observateurs. Mais moi je le savais délivré. Parce qu'il avait signé le disque qu'il portait au fond de lui depuis toujours, sans s'être jamais autorisé à le produire ; après quoi plus rien ne lui semblait devoir être publiquement ajouté. Et parce qu'il en avait fini avec tout ce cirque qu'il vomissait.

Gare de Valence. Une heure à attendre. Je tente de nouveau ma chance. Mon père ne répond pas. Paul et Irène, si. Les deux comme toujours. L'un à l'appareil l'autre derrière, tendant l'oreille, répondant de loin, doublant les réponses, ainsi que je les ai toujours vus faire. Tu viens ? C'est merveilleux. Mais ton père n'est pas là, tu le sais n'est-ce pas ? Comment ça ? Tu n'es pas au courant ? Merde. Écoute… On t'expliquera. À quelle heure, dis-tu ? Très bien nous y serons.

Je raccroche. Erre dans la gare réduite au minimum. Quais déserts, espaces d'attente, kiosque à journaux. Guichets, boulangerie industrielle, piano en libre-service. Le tout pris dans une toile de verre. Sur le parvis la chaleur amplifiée par l'asphalte m'enveloppe comme une couverture. La lumière métallique me crame la rétine. Je fixe le soleil et des points blancs trouent mon regard. Le bus est déjà là. Le chauffeur mâche un sandwich.

Une dizaine de voyageurs patientent, munis de valises et de sacs à dos, âgés pour la plupart.

Depuis quand n'ai-je pas fait ce trajet à l'improviste. Habituellement j'adresse une carte à mon père, deux ou trois semaines en amont, le prévenant de mon arrivée. Nous ne communiquons que par lettres. Les siennes se limitent à quelques phrases. Des poèmes sibyllins. Des haïkus énigmatiques. Il n'y donne pas vraiment de nouvelles. Se contente d'une notation sur le paysage. D'une pensée, souvent obscure, parfois tout à fait indéchiffrable. Des phrases en suspens, dont le sens échappe ou se multiplie. Comme dans la plupart de ses chansons. Oiseau, tout est couvert de givre, tout est nu, une vie de congères. Pierres fendues, solitude des corbeaux, je t'embrasse. Je double ma carte d'un appel à Paul et Irène, parce qu'il oublie tout, se noie dans les dates, qui n'ont plus pour lui la moindre signification. Il ne possède ni télévision ni ordinateur. Ne lit que rarement les journaux. N'écoute pas la radio. Ne sort de la maison que pour enjamber le muret qui la sépare de la berge, après avoir demandé à Paul de vérifier que la voie était libre. Se poste sur un rocher en surplomb des eaux mouvantes. Fait mine de pêcher. Nage. Parfois joue de la guitare, chante pour personne. Part marcher des heures le long des cours d'eau, se fraie un chemin à flanc de paroi, parmi les ronces et les broussailles, s'agrippe aux arbres, traverse des champs, des landes désertes, rejoint une maison perdue où vit un autre ermite, avec qui il converse jusqu'à la nuit tombée, comme on consulte un oracle. Il y a long-temps maintenant qu'il ne se rend plus au village. Depuis qu'un journaliste l'a repéré. En prévenant d'autres. Dévoilant ses habitudes. Son café. La ter-rasse du restaurant où il aimait s'attabler. Où aux dernières heures, entouré seulement d'amis, de connaissances, des gens de confiance, on lui tendait parfois une guitare. De bonne grâce il enchaînait quelques titres. Bien sûr cela avait fini par se savoir. À cela aussi il avait fini par renoncer.

Quand je viens, d'ordinaire, Paul et Irène m'attendent à la gare de Valence. Je grimpe dans leur voiture et nous échangeons les dernières nou-velles durant le trajet. Je reste deux ou trois jours. Une semaine tout au plus. La dernière fois, pour-tant, j'ai pris ce même bus. Paul et Irène s'étaient absentés depuis près d'une semaine. Ils le faisaient rarement. Prenaient toujours la précaution de m'avertir. Et de me rassurer. On lui a fait des réserves. Il a notre numéro là-bas. De toute façon ces temps-ci, tu sais, il ne sort plus guère. Nous n'échangeons pas plus de trois mots quand nous nous croisons. S'il n'y avait parfois le son de sa gui-tare, on ne saurait même pas qu'il est là. Quelques jours plus tôt Théo avait fait irruption dans mon bureau, le visage blême. Il m'avait tendu un de ces torchons à scandale dont il raffole. Au second degré, précise-t-il. Même si cette précaution est pour moi inutile. Théo ne prend rien ni personne au sérieux. En toute chose il prône la légèreté. Fuit les épanchements lourds, les mélancolies poisseuses, la tristesse complaisante, la pensée pompeuse. Il fait partie des rares personnes à préférer la première période de mon père, ses chansons les moins graves, ses textes les plus absurdes, ses jeux de mots parfois potaches. La débauche de cuivres rutilants, de guitares en transe. Les refrains entêtants. Les mélodies qu'on retenait à la première écoute. Qu'on ne pouvait pas s'ôter du crâne. Après il s'est pris au sérieux, dit-il. Il a voulu faire l'artiste… Jamais je ne me vexe à ces propos. J'aime qu'il fasse partie de ces gens qui ne sacralisent pas mon père. Qui m'aiment en dépit de lui. Ou à côté. Qui m'aimeraient même si je n'étais pas sa fille.

Ce jour-là, pourtant, alors qu'il me tendait le journal, son visage était inhabituellement grave. Je l'ai saisi et une photographie ancienne de mon père en occupait la une. Sous le cliché une de ces phrases choc dont ce genre de presse a le secret. J'ai tourné les pages et on parlait d'une tentative de suicide. D'une noyade dont il avait réchappé. De son corps repêché par les secouristes. Vêtu des pieds à la tête. D'une ou deux journées d'hôpital. J'ai quitté le bureau pour me précipiter à la gare. Arrivée devant la maison j'ai sonné et patienté de longues minutes avant de contourner la propriété, de me frayer un passage parmi les ronces et les mûriers, me tordant les chevilles au milieu des pierres concassées. Je n'ai pas eu à escalader le muret, à traverser le jardin, à gravir les escaliers jusqu'à la porte vitrée qui donne sur le salon. Il était là, comme si souvent, assis sur son rocher, en surplomb de la rivière, les yeux rivés sur l'eau filant vers les lointains, longeant les champs puis s'enfonçant dans les gorges, cheminant entre les parois de calcaire, de cascade nerveuse en accalmie où elle se faisait étale, avant de se tendre à nouveau, en courants électriques slalomant parmi les pierres polies. Il s'est retourné sans qu'aucun bruit m'annonce. Toujours quelque chose l'alertait de ma présence. Il avait maigri et flottait un peu dans ses vêtements sombres, autrefois ajustés, son uniforme de dandy rock, santiags et pantalon serré, chemise sombre et veste brillante, foulard carmin et lunettes noires sous le feutre. Il m'a accueillie comme s'il attendait ma visite. A balayé mes questions d'un geste agacé. Un faux pas et il était tombé dans l'eau glacée, avait fait un malaise. Un pêcheur l'avait secouru, et avait

tenu à appeler les pompiers. Une petite hypother-
mie. Par-dessus une bronchite ancienne qui frisait
la pneumonie. Pas de quoi fouetter un chat. Il en
aurait ri si ce n'était si pathétique. Un vieillard qui
ne tenait plus sur ses jambes. Frôlait la mort pour
un peu d'eau froide. Comment l'avais-je su. Paul et
Irène n'étaient pas là ces jours-ci et il n'avait prévenu personne. Cela n'en valait pas la peine. Il ne
voulait pas qu'on s'inquiète pour si peu. Je lui ai
montré le journal et il a sorti son briquet. L'a
regardé se consumer en grognant : les rats.

C'est la dernière fois que je l'ai vu.

Aujourd'hui bien sûr je ne peux m'empêcher de
me demander s'il s'agissait d'un présage. D'une
tentative avortée. D'un lapsus.

Installée au fond du car, la tête collée à la vitre chauffée par le soleil, je somnole. Entrouvre les yeux au passage du Rhône, obèse, étincelant, boueux. Au loin la vallée trop large, disproportionnée, laide à force, se cogne à des massifs, comme sortis de terre sous une poussée aussi brusque qu'inattendue. La route s'y insinue pourtant, transperce ce désert vertical, muraille de roches et d'arbres suspendus. Débouche dans des vallées engoncées, d'autres massifs, un dédale de gorges et de canyons, encadrant des rivières contaminées par le vert des châtaigniers, parfois placides et bordées de galets blancs, s'étrécissant et s'affolant soudain, avant de disparaître entre deux falaises. Une géographie familière, retranchée, qui toujours me serre le cœur. Me comprime la poitrine. Comme à chacun les terres de l'enfance. Hameaux épars. Bourgs assoupis. Ponts de pierre étroits chevauchant l'eau argentine. Virages en lacets jusqu'au col

où la nausée rôde. Puis enfin, la plongée vers
Aubenas.

Paul et Irène se tiennent devant l'arrêt. Je les vois
me guetter, un peu inquiets. Je descends du car et
ils m'accueillent, fidèles à eux-mêmes, à ces grands-
parents qu'ils ont été et ne sont pas, à la fois tendres
et réservés, attentionnés et pudiques, les yeux un
peu mouillés par les retrouvailles, sans abandon
pourtant. Gestes et mots retenus. Quand mon père
a acheté la maison ils étaient là. Nous faisions
partie des meubles, plaisantaient-ils souvent.
Logeaient dans une dépendance. S'occupaient de
l'entretien, des menus travaux, du jardin, en
l'absence des propriétaires, des Lyonnais qui ne
venaient qu'à l'occasion des vacances, avaient longtemps projeté de s'installer pour de bon à la retraite
avant de renoncer face à l'isolement, aux longs
hivers glacés, aux automnes humides et nappés de
brouillard. À l'éloignement des enfants, des petits-
enfants et des amis aussi, tous rivés à la capitale ou
à sa seconde. Mon père avait racheté la maison sur
un coup de tête, une inspiration subite. C'était le
début des années glorieuses. Ses disques se ven-
daient par dizaines de milliers. Ses concerts faisaient salle comble. Il avait visité l'énorme bâtisse
isolée au milieu des champs, encadrée par les parois
de gorges élargies à cet endroit, longée par la rivière

soudain profonde et calme. Il avait tout imaginé. Tout lui était apparu. Les multiples chambres où dormiraient les amis, les musiciens de passage, la grange dont il ferait un studio, le calme et l'isolement propices à l'écriture. Tout le monde avait souri à l'époque. Une lubie. Rien ne cadrait. Les concerts électriques, à genoux et parcouru de décharges, épileptiques. Les nuits d'alcool et la défonce. Les tournées, les chambres d'hôtel, les sessions d'enregistrement à Londres ou New York. Paris où il ne voyait jamais le jour, l'appartement squatté en permanence, les filles qui défilaient. Tout ça m'usait, m'avait-il confié un jour. Je vivais cette vie mais elle n'était pas pour moi. Pas au long cours en tout cas. Ça aurait fini par me consumer. Je le savais déjà à l'époque. Il fallait que je freine. Quand j'ai vu la maison, j'ai eu cette vision d'une autre vie. D'une vie lavée. Au moins par intermittence.

Dans la voiture, de la banquette arrière je regarde Paul, puis Irène, leurs visages mal cadrés dans le rétroviseur. Comment ont-ils vécu tout cela à l'époque. L'arrivée de mon père. Les mois qu'il passait seul avec ses instruments, ses carnets. Retranché. Solitaire. Taciturne. Absent. Sa dégaine de star qu'il n'abandonnait jamais. Les paparazzis qui escaladaient les murs. Les équipes de télé qui envahissaient le village. Les filles qui venaient se baigner à poil au bout du jardin. Puis l'arrivée de sa bande. Des musiciens venant d'un peu partout, tous à moitié dingues et chargés du matin au soir, les répétitions jusqu'au milieu de la nuit, le vacarme des batteries, des guitares, les sessions d'enregistrement qui duraient des semaines entières, les beuveries et la fumée des joints jusqu'au lever du jour. Une gueule de bois ininterrompue. Les types qui se jetaient dans la rivière. Baisaient dans les fourrés. Les engueulades en pleine nuit. Le Samu qui rappliquait tous les trois jours. Puis subitement la maison déserte. Les longues périodes d'absence pendant la promotion, les tournées. Son visage à la télévision, les extraits de concert où il semblait jouer sa peau à chaque note, les rumeurs, les scandales. Chambres d'hôtel saccagées, hospitalisations, liaisons tapageuses avec telle actrice, tel mannequin, telle musicienne, telle groupie. Et puis son retour, parfois seul, parfois accompagné d'une de ces filles, ma mère entre autres, qui ne tenaient jamais longtemps, qui finissaient toujours par mettre les voiles, vaincues par les lieux ou par mon père, ses sautes d'humeur légendaires, ses trous noirs, ou les deux à la fois. Les années Gabriella. Jeff, qui avait fini par s'installer à demeure. Et moi, au milieu de tout ça, débarquant quelques jours après mes huit ans.

J'ai peu de souvenirs de l'appartement de ma mère. Pourtant quand j'ai emménagé à Paris, plus de dix ans après avoir quitté cette ville, vivant à quelques pas seulement, je l'ai immédiatement retrouvé. Comme guidée par un souvenir presque effacé. Une trace à peine perceptible. Au hasard des trajets, il m'arrive encore de passer devant l'immeuble. Sa façade s'écaille lentement, jaunit d'année en année. Parfois j'ai l'impression que l'inclinaison des murs progresse. Qu'il va finir par s'écrouler. Je suis entrée, une fois. Me suis glissée dans les pas d'un livreur. L'escalier étroit, les murs de guingois, les portes marron percées d'un œilleton. L'odeur de bois, de laine et de poussière. Je m'en souvenais comme on se souvient d'un rêve. Imprécis, d'une texture ouateuse, flottante. Rien de fiable.

Nous vivions au quatrième. Chambres et salon sur cour plantée d'un arbre qui assombrissait tout en été. Quand j'y repense c'est une sensation de pénombre permanente qui me revient. Une vie entre chien et loup. Nous sortions peu. À part pour l'école, dont je revois la cour encerclée de bâtiments qui me semblaient immenses à l'époque. L'entrée face au square étriqué, carré de terre battue cerné de grands arbres, que fermait une grille en fer forgé. Quelques bancs posés autour de rien. L'escalier ponctué de réverbères s'élevant vers la place Girardon. La statue de Dalida. La rue Saint-Vincent. Celle de l'Abreuvoir. L'allée des Brouillards. L'ample lacet de l'avenue Junot. La Villa Léandre. Plus haut le jardin que veillait un saint portant sa tête coupée entre ses mains. Les toboggans s'échouant parmi les feuilles mortes. Les bancs à l'ombre des platanes. Remontent à ma méoire quelques visages d'enfants sages, de camarades oubliés, perdus dans les contrées troubles du souvenir. À peine plus précis : celui de ma mère dans sa chambre, tirant sur ses cigarettes, son verre à la main. Les yeux de Lucie, la jeune fille qui me gardait tous les soirs ou presque. Silhouettes d'hommes et de femmes dans la cuisine quand je me levais le matin. Le tintement des bouteilles et des conversations de nuits blanches, nimbées de fatigue. Parfois un homme dans le lit de maman. Je la réveille mais elle n'a pas la force de m'accompagner à l'école. J'ai l'habitude. Cela arrive souvent. Même quand je la trouve seule, encore habillée, les yeux cernés. Je me prépare sans elle, attrape un paquet de biscuits en guise de petit déjeuner, sors dans le froid. Guette une camarade accompagnée de son père ou de sa mère, me glisse dans leurs pas. Toutes ces années, il me semble que je ne fais que croiser cette femme qui habite le même appartement que moi, et qui est censée être ma mère. Elle est toujours sur le point de sortir. Ou assoupie. Je ne sais pas vraiment à quoi elle occupe ses journées. Elle est un peu mannequin, un peu comédienne, un peu chanteuse. Mais rien de tout cela vraiment. Dans les journaux qu'elle laisse traîner sur son lit, sur la table basse, sur le parquet, partout, je croise parfois son visage au milieu de la foule, au fil de ces pages où l'on relate les soirées parisiennes des lieux à la mode. Dans un article que j'ai conservé on la qualifie d'égérie. Elle est très belle et toujours apprêtée. Des vêtements qu'elle chine et retape, assemble avec un mélange d'audace et d'élégance qui capte le regard. Ses grands yeux bleus magnétiques affolent les hommes. Sur la plupart des photos elle semble perdue. Ou traquée. Mon père l'a rencontrée sur le tournage d'un clip. Il est tombé raide dingue. Ils ont vécu quelques semaines ensemble dans un hôtel de la rive gauche. Le temps de la promotion. Puis mon père est rentré chez lui et elle l'a suivi. A cru périr d'ennui. Elle détestait la campagne, l'isolement, les journées passées à attendre pendant que mon père s'enfermait dans son studio. Découvrait peu à peu son autre visage. Celui des doutes et des trous noirs. Des gouffres sans fond où il sombrait. La présence de Paul et Irène l'incommodait. Au village elle ne croisait que des paysans, des commerçants. Pas de cinémas. Pas de soirées. Pas de théâtres. Pas de restaurants dignes de ce nom. Et sa carrière. Comment pouvait-elle imaginer la poursuivre enterrée ainsi. Elle est partie. Un mot sur la table du salon. Mon père a haussé les épaules. Elle était enceinte. L'ignorait encore.

Parfois elle disparaissait pour quelques jours. Une semaine. Ou plus. Elle me confiait à une de ses amies, des relations, jamais les mêmes. J'aimais bien ces moments. Elles s'occupaient de moi. Me préparaient des repas. Me lisaient des histoires. Me bordaient et me caressaient le front jusqu'à ce que je m'endorme. M'amenaient à l'école le matin. N'oubliaient jamais de venir me chercher. Vérifiaient mes devoirs. Me laissaient me blottir contre elles devant les dessins animés à la télévision. Jouaient avec moi dans ma chambre. Aux poupées, à la dînette, aux Playmobil. Puis ma mère réapparaissait et tout redevenait comme avant. Un long fil interlope. Elle ne quittait son lit qu'à la tombée du soir. S'habillait, se maquillait, se coiffait et claquait la porte. Ne revenait qu'au cœur de la nuit, le plus souvent accompagnée. Parfois, plusieurs jours d'affilée, l'appartement était envahi. Une faune avachie. Un nuage permanent de fumée. Un flux ininterrompu de bouteilles vidées. Je ne suis pas certaine qu'elle connaissait précisément l'identité de tous ces gens qu'elle hébergeait, pour un after qui n'en finissait plus. Et puis un soir je rentrais et il n'y avait plus personne. J'ignore s'ils finissaient par se lasser. Si elle-même en avait soudain eu assez. Les avait priés de débarrasser le plancher. Après ça ma mère dormait plusieurs jours d'affilée. Ne se levait plus que pour s'allonger dans son bain, une cigarette aux lèvres, un verre posé sur le rebord de la baignoire. Téléphone à portée de main. Jusqu'au jour où il sonnait et où se produisait la métamorphose. Robe courte, yeux fardés, talons hauts. D'une beauté électrique. Éblouissante, elle quittait l'appartement. Pour une nuit. Une semaine. Comment savoir.

De temps à autre, mon père se pointait sans prévenir. Ce sont des souvenirs plus nets. Nappés de lumière. Pourtant cela n'arrivait pas si souvent, d'après lui. Ma mère me disait de descendre. Je poussais la porte de l'immeuble et il était là, assis sur le capot de son Alfa Romeo. Des inconnus le saluaient, le photographiaient, lui demandaient un autographe. Il avait son allure de star ténébreuse et sexy d'alors. Sa dégaine de songwriter qui s'écroule à cinq heures, ruptures et alcools forts. Il m'emmenait au cinéma, manger une glace aux Tuileries, m'achetait des vêtements, des jouets, dans les boutiques de Saint-Germain ou du Marais. Des jours d'or pur. Nous dormions à l'hôtel. Prenions le petit déjeuner aux terrasses des cafés. Flânions dans le jardin du Luxembourg. Je me souviens d'une ou deux virées à la mer. La voiture décapotée sur l'autoroute. La chambre face à la mer. La plage où il fumait tandis que je m'escrimais à bâtir des ébauches de murailles, de tours, de donjons. Il y avait des chevaux, des voiliers, des maisons à colombages, des bistros sur le port. Des cerfs-volants. Avant de repartir il me glissait qu'il m'aimait, qu'aux prochaines vacances je viendrais chez lui. Dans sa maison au bord de la rivière. Au milieu des champs où se dressaient les tournesols. Il me parlait des ânes, des moutons dans le pré d'à côté. De la ferme où j'irais chercher le lait, les œufs. Des baignades et des plongeons. Des truites qui scintillaient au soleil. Cela ne s'est jamais produit. Les vacances ne tombaient jamais bien. Des répétitions. Des enregistrements. Des interviews. Le calme et le temps dont il avait besoin pour écrire et composer. Le repos auquel il aspirait après les longs mois de tournée. Une femme qui venait d'entrer dans sa vie, cette fois il voulait que ça marche, c'était juste le début il préférait ne pas lui coller d'emblée une gamine entre les pattes.

Les irruptions de mon père dans ma vie d'enfant furent rares mais elles me reviennent avec une précision que ne revêt aucun autre souvenir de cette période. À l'inverse, les semaines, les mois, les années vécus dans les parages de ma mère, dans son appartement où elle ne faisait que passer, dormir, où elle ne prenait vie qu'à la tombée du jour, sont couverts de brume, se réduisent à quelques sensations, une nuée d'images aussi troubles que silencieuses, et toujours filmées de nuit.

Je me souviens qu'un jour mon père a cogné à la porte. Ma mère dormait dans sa chambre close. Je dessinais à la table du salon. Des maisons, des jardins sous la neige. Jamais de soleil en coin. Il était quinze heures et j'étais en pyjama. Tout autour de moi régnait le désordre habituel. Des vêtements abandonnés çà et là. Des cadavres de bouteilles. Des cendriers pleins à ras bord. Des livres, des revues jetées pêle-mêle. Un type coiffé de dreadlocks cuvait sur le canapé. Il n'avait pas bougé depuis mon réveil, sommeillait tout habillé, pantalon noir à poches multiples, chemise ouverte jusqu'au sternum, collier exotique, le visage collé contre les coussins. J'ai ouvert la porte et mon père était furieux. Il avait prévenu ma mère : elle devait préparer mes affaires, me dire de descendre à quinze heures. Il a regardé autour de lui, éberlué. A réveillé l'homme aux dreadlocks, qui a sursauté et l'a fixé d'un air ahuri. Mon père lui a ordonné de dégager. Le type s'est exécuté en bafouillant qu'il le reconnaissait, qu'il était vraiment honoré : il adorait sa musique. Mon père l'a poussé dehors avant de claquer la porte. Puis il s'est dirigé sans un mot vers la chambre de ma mère. Après j'ai entendu des cris. Ils s'engueulaient. Quelques mots me parvenaient. Je n'y arrive plus. T'as qu'à la prendre toi. Tu verras si c'est facile. Plus facile que de venir une fois tous les six mois et de me faire la leçon. Je suis peut-être une mauvaise mère mais toi, tu n'es pas un père du tout. Ai-je vraiment entendu ces mots. En ai-je saisi le sens à l'époque. Au fil des années je reconstitue, rejoue les scènes, assemble les pièces du puzzle. À force tout se confond. Les souvenirs précis et ceux inventés pour boucher les trous, colmater les brèches et reconstituer une image lisible, présentable de mon enfance. Aujourd'hui j'ai la sensation d'avoir grandi sans parents, dans le giron d'adultes absents. Mais à l'époque, rien de tout cela ne me troublait je crois. J'ignorais comment vivaient les autres. Je ne savais rien de la vie que menaient mes camarades de l'autre côté des portes cochères, tapis dans leurs appartements. J'ignorais à quoi elle pouvait bien ressembler. Je n'avais même pas conscience de la singularité de la mienne. Ni de la célébrité de mon père. Personne ne m'en parlait. Et lorsque je citais son nom à l'école, personne ne me croyait. Je me vantais. J'affabulais. Quant à ma mère, qu'elle ne fasse qu'aller et venir, qu'elle sorte tous les soirs et ne revienne qu'au cœur de la nuit accompagnée de cinq ou six amis avec qui elle veillait jusqu'à l'aube avant de s'écrouler de fatigue, qu'elle me laisse à des inconnues, n'ait pas la force de se lever le matin, oublie de venir me chercher le soir, de signer mes cahiers, ne contrôle aucun de mes devoirs, me laisse me nourrir de biscuits ou de restes de pizzas que je faisais réchauffer au micro-ondes, ne me lise jamais une histoire, ne me fasse jamais sortir ou presque, tout juste si parfois certains samedis elle se traînait jusqu'au square, à deux minutes de notre appartement, emmitouflée dans ses grands pulls de laine, lunettes noires vissées sur le nez par tous les temps, comateuse, chancelante dans la lumière du jour, rien de tout cela ne me troublait. C'était juste ma vie. Et j'ignorais qu'il y en avait d'autres.

Tout cela a pris fin l'année de mes huit ans. Ce matin-là je me suis réveillée et l'appartement était vide. Lucie, la jeune femme qui s'était occupée de moi la veille, avait dû partir vers minuit, après avoir vérifié que je dormais profondément. Depuis plusieurs années déjà, ma mère lui donnait cette consigne. C'est elle qui me l'a raconté des années plus tard. Je me souviens que je l'aimais bien. Elle était douce et patiente. Nous nous étions croisées rue Jacob et elle m'avait reconnue. Cela m'avait sidérée à l'époque. Qu'elle se souvienne de moi. Qu'elle ait pu me reconnaître. Nous avions parlé un moment sur le trottoir. Bien sûr elle avait depuis longtemps perdu la trace de ma mère. Mais elle se souvenait bien de l'appartement. Des soirées passées à me veiller. Tu n'étais pas difficile. Si discrète. Si sage. Ça me fendait le cœur de te laisser comme ça seule dans la nuit. Je me disais : et s'il arrivait quelque chose. Et si, même, tout simplement, elle se réveillait ? Mais jamais cela ne s'est produit. Jamais je ne me suis réveillée durant cet entre-deux, cet intervalle de nuit entre le départ de ma baby-sitter et le retour de ma mère. Jamais je n'ai trouvé l'appartement vide alors que j'avais trois, cinq ou sept ans. Comment aurais-je réagi alors. Aurais-je été effrayée. Paniquée. Aurais-je jugé cela normal.

Ce matin-là, quoi qu'il en soit, je me suis contentée de constater son absence, de m'habiller toute seule comme chaque jour, d'avaler un cookie et de descendre les escaliers, puis d'attendre un camarade muni de parents et de le suivre. J'avais fait mes devoirs, préparé mon cartable avant de me coucher. Lucie avait imité la signature de ma mère sur les deux documents qu'on nous avait demandé de présenter à nos parents. Rien ne me semblait particulièrement inquiétant. La journée s'est déroulée sans heurt.

À la sortie de l'école, mon père était là. Au volant de son Alfa Romeo il m'a fait signe de le rejoindre. Il était passé chez nous. Mes affaires étaient dans le coffre. Il m'emmenait chez lui. Et maman ? Elle est à l'hôpital. Elle est fatiguée. Elle se repose.

Je n'ai plus jamais remis les pieds à l'appartement.

La voiture quitte la départementale, s'engage sur une voie étroite et cabossée, un simple chemin de terre longeant la rivière, frôlant les falaises. Des branches accrochées à des arbres hirsutes fouettent la tôle. Ils poussent en dépit de tout. Profitent du moindre interstice. De l'autre côté du cours d'eau la gorge s'élargit soudain, aménage un espace pour quelque prairie laissée à elle-même, un camaïeu de champs cultivés, un verger miniature, un bois de châtaigniers, puis se resserre et échoue à étrangler le torrent, qui inlassablement se débat, se faufile, glisse entre les roches.

Régulièrement, Paul se retourne pour me parler tandis qu'Irène lui serre le bras, lui intime d'un geste muet de garder un œil sur la route. Des années qu'ils empruntent ce chemin plusieurs fois par jour mais toujours elle craint de finir dans le décor. Une nuit, dit-il, j'ai entendu du bruit, je suis sorti et j'ai vu ton père. Il finissait de charger le coffre de l'Alfa. Sa guitare était posée sur la banquette arrière. Je lui ai demandé où il allait et il a répondu qu'il partait en voyage. Pour combien de temps, il l'ignorait encore. Il ferait signe. Ça m'a complètement séché. Abasourdi. Et puis j'ai eu cette impression bizarre. Qu'il aurait préféré partir en douce. Qu'il n'avait pas l'intention de nous avertir. Il m'a dit qu'il s'apprêtait à le faire. À trois heures du matin ! Bien sûr, avec ton père, il ne faut jamais s'étonner de rien, cela fait bien longtemps qu'il n'a plus vraiment conscience de l'heure ni des usages. Mais tout de même… Il a allumé le moteur et je lui ai demandé s'il fallait te prévenir. Il m'a répondu que tu étais au courant. Qu'il avait prévu de passer par Paris pour te voir. Quand la voiture a quitté la cour j'ai couru à la maison. Il avait tout fermé. Coupé l'eau et le gaz. L'électricité. Il n'a laissé aucune instruction. Pour le courrier, les factures. Tu verras. Il y a l'eau à payer, les impôts. On ne sait pas quoi faire. Bon tu sais bien que c'est toujours moi qui m'occupe de tout ça, tu sais que c'est moi qui gère les comptes, le chéquier, mais à l'arrivée, c'est quand même lui qui signe. Ça fait trois semaines qu'il est parti maintenant. On pensait vraiment que tu savais où il était. Qu'il t'avait tenue informée. On aurait dû t'appeler. On n'a pas voulu t'embêter. Tu dois avoir une vie bien remplie à Paris.

Paul et Irène ont toujours peur de déranger. Moi. Leurs propres enfants. Mon père. Ils semblent s'excuser en permanence. D'être là. De s'imposer même quand c'est vous qui le faites. Même quand mon père est arrivé avec son armée de musiciens, de filles, même quand la musique pulsait jusqu'au milieu de la nuit, même quand ça hurlait dans le jardin, autour de la table plantée sous les lilas des Indes, quand ça se jetait en gueulant dans la rivière au bout du terrain. Calfeutrés dans leur maison, ou bien passant comme des ombres, s'affairant sur la pelouse, les arbustes, les pierres blondes des murs ou des terrasses, surveillant les lieux et leurs environs immédiats, traquant les intrus, les curieux, les photographes indélicats, ils avaient la sensation d'encombrer. Même quand mon père me laissait à leur charge, parfois des mois entiers, ils s'excusaient presque de rendre service, baissaient les yeux, gênés, quand il ajoutait un chiffre à leur salaire en guise de dédommagement.

Sur la droite, le talus s'enfonce, creuse une ébauche troglodyte, un semblant de voûte couronnée de lianes enchevêtrées. Deux voitures peuvent s'y ranger. De l'autre côté du chemin s'élèvent de hauts murs de pierre, percés d'un grand portail de bois sombre. D'ici la bâtisse paraît inaccessible. On croit s'y heurter comme à une forteresse. Accrochée à trois mètres de hauteur une caméra semble vous épier, scruter les alentours, percer à jour les intrus. Dissuade. Défie. Pourtant aucune image ne s'y enregistre. Paul l'a trouvée dans une brocante. Des plaisantins avaient dû la décrocher des poteaux d'une municipalité paranoïaque. Des activistes peut-être. Des opposants farceurs, combattants farouches, luttant contre les progrès constants d'une société de la surveillance généralisée. « Ceux de la ferme », sans doute. Tout à fait leur genre. Elle n'a jamais été en état de fonctionner. Paul l'a installée là peu après la dernière intrusion. Mon père s'était retiré depuis plusieurs années déjà mais le mystère de sa disparition, de sa vie retranchée, continuait de faire jaser. Les rumeurs les plus folles circulaient : il était malade, il était mort, il s'attelait depuis cinq ans à un disque monstre, on avait signalé le passage de grands producteurs, de musiciens célèbres, de stars de la chanson rock d'ici ou d'outre-Manche. On avait aperçu Alain Bashung, Étienne Daho, Patti Smith. Bertrand Cantat, Daniel Darc, Marianne Faithfull. Brian Eno. Tony Visconti. Steve Albini. John Parish. Ou bien c'était le contraire. Il vivait seul, barbu et mystique, avait fait vœu d'alcool, de silence et de solitude. Des types qui escaladaient le mur pour photographier la maison, les dépendances, la porte de la grange aménagée en studio d'enregistrement, la terrasse couverte, les fenêtres percées dans les murs épais de plusieurs mètres, il y en avait toujours eu, avant même que mon père ne se retire. Mais la plupart avaient trouvé Paul sur leur chemin. Qui avait toujours eu pour ces choses un genre de sixième sens. Et qui en souriait. Quelle bande de cons. Tu les verrais détaler quand je me pointe avec ma fourche. Il y en a plus d'un qui a dû se flinguer la cheville ou le genou en s'enfuyant. Un jour vint pourtant où mon père, seul dans la maison pour une fois, entendit du bruit. Au moment où, perché sur les

épaules d'un de ses confrères, un journaliste indéli-
cat se hissait au sommet du mur, tentait d'y trouver
un appui, mon père fit irruption dans le jardin, en
jean, torse et pieds nus, aussi sec qu'un iguane.
Fusil de chasse pointé sur le photographe. Dans sa
fuite affolée le type avait tout de même pu prendre
un cliché. La photo est devenue mythique. C'est la
dernière qu'on ait vue de mon père dans les médias.
*Paris Match* l'a publiée et tout le monde l'a relayée.
Y compris les chaînes de télévision. Aujourd'hui
encore, si l'on tape le nom de mon père sur un
moteur de recherche, c'est elle qui apparaît en premier, suivie des pochettes de ses disques, de photos
de concert ou prises sur le plateau du 20 heures, à
*Nulle part ailleurs* ou chez Ardisson. On l'y voit
hagard, le visage taillé à la serpe où pousse une
barbe de plusieurs semaines, les cheveux gris en
bataille et s'effilochant aux épaules, la bouche cris-
pée ouverte sur une éructation quelconque, les
yeux allumés d'une lueur de folie, pointant son
fusil vers l'objectif. Il a l'air d'un dingue, d'un clo-
chard, d'un ermite, d'un gourou. Quelques jours
plus tard, Paul installa la caméra.

Quand je l'avais retrouvé le week-end suivant,
mon père m'avait pourtant accueillie tel que je
l'avais laissé la dernière fois que je l'avais vu. Vêtu
comme un prince et les cheveux lissés, les joues
glabres, le regard perçant où depuis quelque temps

une troublante sérénité, une forme d'absence au monde et à lui-même avaient remplacé la fièvre. Doux et silencieux, les gestes calmes, comme absorbé dans une perpétuelle contemplation, un abandon, une paix intérieure qui paraissaient impossibles à troubler, attitude de vieux moine bouddhiste sous les oripeaux jamais abandonnés du dandy rock, rien ne semblait pouvoir le rattacher à cette photo.

Je n'ai jamais pu saisir mon père. Moi pas plus que quiconque. Je lui ai connu mille visages. Parfois, dans la même année, le même mois, la même semaine, vous n'aviez pas affaire au même homme. Tourmenté ou serein. Jouisseur ou ascète. Zen ou déglingué. Au fond du trou ou exalté. Mondain ou solitaire. Bavard ou muet. Noceur ou paysan. Mystique ou cynique. Dandy magnétique, semi-clochard céleste, rockeur inflammable, rongé d'alcool. Moine trappiste, vieux sage cosmique abstinent, parlant aux arbres et fondu dans le ciel, aux roches, aux galets, aux transparences des eaux courant limpides sur les cailloux dorés. Dragueur princier, collectionneur de femmes. Amoureux transi brisé par ses ruptures successives. Homme d'un seul amour. Chanteur adulé. Ermite. Père absent. Père maladroit, emprunté et inquiet. Père évaporé sans laisser de traces. Quittant sa propre maison tel un voleur, après l'avoir fermée comme pour toujours, nous laissant tous au silence complet, n'aurait été le fameux sixième sens de Paul, sorti dans la nuit vérifier quelque chose, lui-même n'aurait pas su dire quoi, et trouvant mon père penché sur le coffre de la vieille Alfa qu'il ne conduisait plus guère, mais que Paul entretenait comme s'il s'agissait d'une relique.

Je pénètre dans la maison, suivie de Paul et d'Irène. Ils manipulent le robinet d'arrivée d'eau, ceux des radiateurs. Relèvent la manette du disjoncteur. Les pièces bruissent soudain, parcourues de liquide et d'électricité, de vibrations électroniques, de chuintements de plomberie. La chambre de mon père est parfaitement rangée. Dans sa bibliothèque, une étagère est presque vide. Une partie de ses bouquins de poésie a disparu. William Blake. Dylan Thomas. Hölderlin et Rilke. Marina Tsvetaïeva. Perros et Carver. Mandesltam. Jaccottet. Dans son armoire manquent trois de ses vestes, cinq ou six chemises, ses jeans, ses santiags, ses foulards favoris, la plupart de ses lunettes noires. Je fais le tour des chambres d'amis, où personne n'a séjourné depuis des lustres. L'une d'elles a longtemps été réservée à ma mère, après sa sortie d'hôpital. Elle ne l'a utilisée que quelques jours épars durant les années qui ont suivi. Elle venait me voir de temps à autre. Après quoi elle est partie rejoindre ce type en Californie, versé dans la sophrologie, le développement personnel, la méditation et le reiki, et n'en est jamais revenue. La pièce de Jeff, où il a fini par s'installer à demeure, suivant mon père comme une ombre, en tournée, en session d'enregistrement et jusqu'ici durant ces mois où ils reprenaient le fil d'une vie toujours interrompue, nomade, déracinée, de chambre d'hôtel en appartement loué, de concert en période de promotion, voitures, trains, avions, after qui les menaient aux aurores, de ville en ville. À l'issue de chacune de ces longues semaines, mon père jurait qu'on ne l'y reprendrait plus, qu'il n'en pouvait plus de cette vie, qu'elle l'usait, le vidait, le consumait. Qu'il n'aspirait dorénavant qu'à rester ici, à seulement écrire et composer, à vivre au milieu des arbres et des champs, à s'occuper de moi. À l'entendre, chaque tournée était la dernière, il n'était même pas sûr de vouloir encore faire de disques. Parlait déjà de ne plus chanter. De composer pour les autres. Ou des musiques de films. De se limiter à ça. De ne plus donner de sa personne. De ne plus s'exhiber. De ne plus se vendre. Bien sûr, au bout de quelques semaines ici, je le voyais tourner en rond, s'emmerder comme un rat mort, sombrer à mesure que tardaient à venir les contours de son prochain album, que les notes lui échappaient, que les mots se dérobaient, jusqu'au jour miracle où tout s'ouvrait soudain, où tout ce qui obstruait dégageait enfin la voie. Jusqu'à ce que s'impose une clarté, d'une évidence telle qu'il ne comprenait plus comment il avait pu penser un instant que tout cela était enterré six pieds sous terre, désormais introuvable, insaisissable. Alors tout repartait. Les jours et les nuits fiévreuses à gratter sa guitare, à noircir ses carnets. Les sessions secrètes avec Jeff, les maquettes nues. Puis les musiciens qui affluaient, les rendez-vous à Paris, la fièvre des séances d'enregistrement dans la grange, l'atmosphère de travail et de fête permanente, les semaines passées à Londres ou aux États-Unis pour tenter l'aventure avec tel ou tel producteur à moitié cinglé, tel musicien génial, avec qui mon père finissait toujours par en venir aux mains, le retour ici où il reprenait tout à zéro, puis la sortie du disque, les télés les radios, les longs mois sur les routes de salle en salle, en France et un peu partout en Europe.

Ma chambre est telle que je l'ai laissée la dernière fois que je suis venue. Et les fois d'avant. Éternellement figée. Une chambre d'adolescente sage, ordonnée, discrète, sans fantaisie. Dont le style tranche avec l'ambiance bohème qui court d'une pièce à l'autre. J'ai un peu froid. Dans la penderie j'attrape un de ces vieux pulls trop larges où j'ai longtemps aimé disparaître. Tu veux te reposer un peu, sans doute. Si tu veux dîner avec nous, tu es la bienvenue. Mais nous ne voulons rien t'imposer. Paul et Irène tels qu'en eux-mêmes. Toujours inquiets. Ne prends pas froid. Repose-toi. Pense à manger. Taraudés par la peur d'embarrasser alors qu'ils sont chez eux et que je me pointe à l'improviste. N'osant qu'à peine me questionner, me convoquer à leur table, alors que pendant dix ans, ils ont plus été mes parents que quiconque. Plus que ma mère, qui avait mis les voiles. Plus que mon père, semi-absent, semi-fantomatique quand il était là. Absent dans sa présence même. Habité par autre chose. Le doute. La peur du vide. Puis le trop-plein quand le vide s'éloignait. Trop-plein de notes, de mots, d'arrangements, de textures, d'images. Ce bouillonnement qui ne laissait de place à rien d'autre. Cette vie de meute musicienne où une gamine n'avait plus sa place.

Avant de les rejoindre pour dîner je fais un détour par la grange. Tout est bâché. Les claviers. La console de mixage. Les enceintes, les amplis. Les guitares, les basses. Le vibraphone. Les instruments rares, venus d'Afrique, d'Asie, qu'il allait chercher aux quatre coins du monde, parfois pour une seule note, sur une seule chanson, planquée au fin fond d'un de ces dix albums. Il est arrivé qu'il m'emmène avec lui. Un instrument à récupérer nous offrait un prétexte. Une petite virée père fille en Italie, en Espagne, au Danemark. Nous ne restions jamais très longtemps. Il semblait toujours un peu désemparé. Ne savait pas bien quoi faire de moi. Quels mots m'adresser. Quels gestes tenter. J'avais l'impression de l'encombrer. Ce furent pourtant les seuls moments où je l'ai eu pour moi, à l'époque. Où nous avons été vraiment ensemble. Bien plus qu'ici où nous ne faisions que nous croiser. Parce qu'il était toujours fourré dans sa chambre, qu'il appelait son « bureau », ou parti en balade, son dictaphone en poche, ou bien dans son studio à essayer des choses, suivre des pistes, graver une idée, un bout de mélodie, un enchaînement d'accords, un riff. Parce qu'il vivait dans sa tête où bourdonnaient des mots, de la musique, et leur absence qui prenait toute la place le rendait dingue. Parce qu'il vivait la nuit et dormait le jour. Buvait trop. Prenait je ne sais quels trucs. Alors son regard se voilait et je n'y entrais plus. Mes mots n'atteignaient pas vraiment sa conscience. Il acquiesçait dans le vide. Puis tout le monde rappliquait et je disparaissais tout à fait. Ils étaient tous absorbés par le disque en cours, par les longues soirées qui suivaient les sessions. Les engueulades dantesques, les repas qui dégénéraient, leurs histoires de cul. Et un jour, pfuit, plus personne. De longs mois seule avec Irène et Paul. Une vie d'orpheline. Prise en charge par un vieux couple – ils ne l'étaient pas tant alors, mais sans doute l'étaient-ils aux yeux d'une enfant. Leur bonté pudique. Leurs gestes retenus. Leur discrète tendresse. Une drôle d'enfance, m'avait dit Sofiane un jour. J'avais haussé les épaules. C'était la mienne et il me fallait bien faire avec.

# II

# Anthologie des légendes

Autour de moi glissent des ombres, des masses dansantes, des visages flous. Des silhouettes incertaines à force d'ivresse. À cette heure tout le monde est saoul, s'égare, cherche un itinéraire, une porte d'entrée, une enseigne. Les derniers dîneurs quitteront bientôt les terrasses. Les musiciens partiront, emportant chez eux leur maigre recette.

Praça das Flores je n'ai rien trouvé. Un chanteur cap-verdien. Une chanteuse angolaise. Un jeune folkeux. Quand j'ai montré la photo au patron il a acquiescé. Ah, le Français. Je ne l'ai pas vu ces temps-ci. Mais cela arrive. Il va, il vient. Les habitués le réclament. J'ai entendu dire qu'il jouait parfois sur la côte. Vous le connaissez ?

Comment répondre à cette question. Je ne suis même pas sûre que ce soit lui. Devrais être persuadée du contraire. En être parfaitement certaine. Trois semaines après mon retour à Paris, après ce court séjour auprès d'eux, Paul et Irène m'ont appelée. On avait retrouvé l'Alfa en bordure du Rhône. Dans le coffre, sur la banquette arrière, ses affaires intactes. Vêtements. Livres. Guitare. Papiers d'identité. Carte bancaire. À la place du mort, un cimetière de bouteilles de whisky vidées, de boîtes de médicaments liquidées. Une paire de bottes gisait abandonnée sur la berge. Et dans la boîte à gants, une sorte de poème. Une chanson inachevée. Qui parlait de se laisser emporter par le fleuve. De reposer en son fond. Et de s'y dissoudre lentement. En dépit des recherches qui ont suivi, on a échoué à retrouver son corps. Une enquête a été diligentée. Aucun élément n'est venu contredire la thèse du suicide. Aucun mouvement bancaire. Aucune trace téléphonique. Aucun nom sur aucune liste de passagers. Aucun signalement crédible. Il y a longtemps maintenant que la presse s'est chargée d'entériner son décès. Dans un déluge d'hommages télévisés, de témoignages, de rétrospectives, de rediffusions. De spéculations, de scenarii rocambolesques, d'élucubrations qui ont fini par s'épuiser, et laisser la place à la seule conclusion possible : Antoine Schaeffer est mort. Il repose au fond du fleuve.

Je rebrousse chemin, tente de regagner l'hôtel, m'égare dans le labyrinthe du Bairro Alto. Le Tage en contrebas est une grande nappe de pétrole engloutissant l'autre rive, réduite à quelques points de lumière, presque insoupçonnable. Il pourrait aussi bien être la mer, séparer des continents entiers.

Mon téléphone vibre. Je ne réponds pas, laisse la messagerie s'en charger. Sofiane m'y glisse qu'à Paris il fait froid. Il m'envie. Me demande des nouvelles. S'inquiète un peu de me savoir seule. M'embrasse. Ainsi que Théo à travers lui. Puis la chambre retourne au silence, que troublent à peine le chuintement des canalisations, les rares voitures au-dehors, les voix étouffées des derniers noctambules.

Quand je leur ai annoncé que je posais des congés, que je partais pour Lisbonne, ils n'ont rien dit. Mais j'ai bien senti que Sofiane était inquiet. Qu'il s'en voulait d'avoir laissé Théo me montrer la photo. Je suppose que pas un instant il ne s'était imaginé que je puisse la prendre au sérieux. À sa décharge, et même si c'est à lui qu'il m'arrive le plus souvent de me confier, tandis qu'à Théo revient le rôle de l'amuseur, du provocateur, esthète grinçant évoluant toujours en surface, sensibilité d'écorché camouflée sous l'armure sans faille du brillant cynisme, jamais nous n'avons vraiment parlé de la mort de mon père. De son corps introuvable. De ce que cette absence de cadavre laisse béant depuis six mois bientôt. Un automne. Un hiver. Un automne, plus sombre qu'un hiver. Endeuillé. Un deuil qui a rangé celui de mon père au rang d'anecdote, de soubresaut. A éteint presque aussitôt les braises du léger mystère qui planait encore. Un deuil qui a tout ravagé. Jeunesse fauchée aux terrasses. Tombeau d'une salle de concert. À l'époque, je n'ai rien dit à Sofiane de son départ dans la nuit. La maison fermée. L'absence de nouvelles, de signes. Ma décision de ne pas m'en remettre à la police, de n'alerter personne, parce qu'il m'en aurait voulu d'agir ainsi. Me l'aurait reproché. Ni plus tard de son Alfa abandonnée sur la berge du fleuve. Des cachets engloutis, de l'alcool absorbé par litres. Des vaines recherches. Il n'en a su que ce qu'en ont dit les journaux. Le jour où sa mort a été annoncée dans la presse, Sofiane m'a longuement serrée dans ses bras. Il était si bouleversé. Les mots demeuraient coincés dans sa gorge. Ne restaient que les gestes. Et dans les mois qui ont suivi je ne lui ai rien dit non plus des efforts que j'ai dû déployer pour ne pas croire à autre chose, ne pas sombrer dans le déni. Jusqu'à ce qu'un soir Théo me tende son téléphone. Sa maladresse inconsciente, pris dans les vapeurs de l'alcool, de sa légèreté irréductible. Le chanteur flou. L'idée absurde qui soudain s'immisce. Le frisson du doute, imperceptible presque, sans fondement mais tenace, chaque fois que je regarde la photo.

Sans doute n'ont-ils rien deviné sur le moment mais l'ont-ils senti peu après, alors qu'ils dansaient et qu'un léger serrement de gorge les retenait. Les poussant loin des pistes, dans la nuit de Pigalle, regagnant leur appartement longtemps avant l'aurore. Les jours qui ont suivi, j'ai senti combien ils redoublaient à mon endroit d'attentions. Sofiane faisant assaut de douceur et de tendresse. Théo s'échinant à me faire rire, à me distraire, à me tirer du brouillard où je m'enlisais. Tentant tous deux de me réchauffer de leur simple présence. Sans pourtant aborder le sujet de front. Parce qu'il en va ainsi depuis que nous nous connaissons. Nous nous passons de mots, nous comprenons en télépathes.

J'ai longtemps cru qu'il en allait de même avec Simon. Jusqu'au jour où il est parti. Me reprochant ma réserve. Tu n'es qu'une ombre. Un fantôme. Avec toi je ne suis même plus sûr d'être vivant. Il avait prononcé ces mots quelques jours après le massacre. Je ne voyais pas le rapport. Même si ce soir-là il avait rendez-vous avec un ami au Petit Cambodge. Retenu à son bureau il avait prévenu qu'il serait en retard. Passé vingt minutes à héler en vain les taxis. Pour finalement échouer en périphérie d'un quartier bouclé. Depuis il estimait avoir échappé à la mort. Une succession de hasards. De contretemps. Une imprimante récalcitrante. Un patron qui voulait partir en week-end avec le document. Trois taxis libres qui l'avaient ignoré. Le scrupule qui l'avait étreint de faire attendre son ami devant le restaurant. L'appel pour lui dire qu'il viendrait le prendre en bas de chez lui. Où il se terrait, toutes lumières éteintes, prenant soin de s'éloigner des fenêtres, hors d'atteinte et télévision allumée sur l'horreur en continu.

Simon prétendait que tout cela avait agi sur lui comme un électrochoc. Un révélateur. Les larmes le submergeaient à l'improviste. Il regardait autour de lui. L'appartement que nous partagions. Mon visage penché sur un livre, un manuscrit. Le thé dans la tasse japonaise. Les lumières tamisées. La musique sans paroles. Nue. Désossée. Ce n'était pas vivre. Ce calme. Cette douceur. Ces demi-teintes. Ce n'était pas vivre. Il en prenait soudain conscience. Il vivait avec une ombre. Et cela l'avait contaminé. Il n'en pouvait plus. Des photographies fanées, des guirlandes, des coussins, des bougies. Des jardins en automne. De la pluie sur les toits.

Des plages désertes. Des stations balnéaires hors saison. Des marées basses, des villes mélancoliques. Des films doux-amers, des chanteurs nostalgiques, des romans délicats. Des plaids, des théières, des étés bretons. Des soleils couchants. Du *famous blue raincoat*. De nos absences d'engueulades. De nos sourires trop doux. Des étreintes consolatrices. De la fille aux cheveux longs, robes d'autrefois, bottines à lacets, bijoux minimaux, sourire léger flottant sur des lèvres silencieuses, discrète aux confins de l'effacement, pudique aux lisières de l'empêchement qui se tenait à ses côtés. Du deuil incertain, fantomatique, où je m'enlisais sans fin. Il voulait autre chose. Des cris. Des larmes. De la joie. Des confessions fiévreuses. Des baises sauvages, brutales, éreintées. Il voulait la nuit profonde, des jours féroces, le soleil cru, la brûlure.

Je l'écoutais et rien n'avait le moindre sens. J'avais la sensation de regarder un de ces films où les couples se déchirent, d'assister à une de ces scènes au restaurant auxquelles se livraient des individus à qui rien ne me rattachait. Ces gens et les relations qu'ils entretenaient, heurtées, désaccordées demeuraient pour moi des énigmes. Je n'ai pas ouvert la bouche. J'ai regardé Simon enfouir ses affaires dans son sac et claquer la porte. Cinq ans de vie commune se sont évaporés en quelques minutes. Le bruit de ses pas dans l'escalier et puis plus rien. Pas même de rancune. Si ce n'est celle de Théo, de Sofiane, qui n'ont pas eu pour lui de mots assez durs. Te faire ça maintenant. Quelques semaines à peine après le décès de ton père. Ce type est une merde. Un monstre d'égoïsme et de mesquinerie. Alors je posais ma main sur la leur et tentais de les rassurer. Tout va bien, leur disais-je. Je n'ai pas de colère. Au vrai je ne ressentais rien. Il était sorti de ma vie mais c'était comme s'il n'y était jamais entré. Et peut-être était-ce le cas, au fond. J'ignore même pourquoi je pense à lui soudain, au plus profond de la nuit, alors que je guette un sommeil inaccessible.

De nouveau je me perds. À la tombée du soir, je suis revenue rôder aux abords de la Praça das Flores. N'y ai croisé aucun fantôme. Il est tard. Les tramways se sont tus. Dans l'air flotte encore un parfum d'ail et de poisson grillé. Des restaurants aux salles carrelées, coffrées de bois sombre, s'élèvent des fados déchirants. Le long de l'avenue bordée d'enseignes, des ruelles mal éclairées disparaissent à l'équerre, se muent en escaliers obliques, sinuant à l'étroit entre les façades penchées. Je frôle des immeubles abandonnés aux fenêtres aveugles, débouche sur une autre artère où déambulent des nuées de jeunes gens passant de bar en bar. On me bouscule joyeusement. Un type coiffé d'une casquette et muni d'une dentition partielle me propose un sachet de cocaïne, de l'herbe, des pilules. Un vieux fou décharné éructe parmi les badauds, frappe l'un d'entre eux à la tête avant de s'enfuir en hurlant. Des types titubent en chantant. Je me sens soudain si vieille. Sans doute l'ai-je toujours été. La foule m'oppresse. L'agitation m'inquiète. Les cris. Les effusions. L'enivrement général. J'ai toujours été mal à l'aise dans les fêtes. Les grandes assemblées. Les rues bondées. Partout je cherche un passage dérobé. Un itinéraire secret.

Dans les avenues du centre-ville, vallée étroite se coulant dans le fleuve, forêt d'immeubles aux boutiques mondialisées percées d'antiques gargotes, je presse le pas. Ai l'étrange sensation d'être suivie. Épiée. Aux premiers lacets de l'Alfama je trouve un peu d'air. Ma gorge se desserre. Je respire un peu mieux. Tout est plus doux ici. Plus calme. Les gens eux-mêmes, attablés sous les lampions, fumant langoureusement dans la nuit tiède. Adoucis par l'alcool. Sourires mélancoliques et gestes las. Je m'installe en retrait. Une table sous les arbres. Le rhum et le sucre m'engourdissent. La musique me berce. Je connais ces chansons. Un groupe d'ici, des mots anglais, portugais à la dérobée. Le nom m'échappe. C'est Simon qui m'avait offert leur disque. Ça devrait te plaire. J'avais cru déceler une légère ironie. La douceur hypnotique. La mélancolie tenace. Les mélodies obsédantes. Ce son de carrousel et de rêve éveillé. *This is maybe the place where trains are going to sleep at night.*

Vous permettez ? Je sursaute et il se tient là, désigne la chaise en face. Jean et tee-shirt,

Converse, sweat bleu à capuche. Cheveux blonds en bataille, barbe négligée. La trentaine. Il m'adresse un sourire que je lui rends : depuis que je suis ici, nous n'avons cessé de nous croiser. Dans les jardins du château, au milieu des paons et toute la ville à nos pieds, velouté des collines, panoplie de tuiles orangées et d'arbres en fleur. Au monastère de Belém, pastels de Nata dans l'enfilade de pièces carrelées. Dans les cafés sur les docks, bordés de pelouses ondulant comme des vagues, et au loin le cube de verre de l'aquarium. Ou dans cet autre niché le long d'une place en pente dans l'Alfama, tenu par deux Français. Bancs de bois et chaises multicolores. Tables dépareillées. Musique brésilienne. Praça das Flores, même, tout à l'heure. Près du kiosque à journaux, aux abords du square fermé pour la nuit. Au fil des jours nous avons fini par nous adresser de discrets hochements de tête. De furtifs signes de reconnaissance. Nous avons fini par sourire de cette étrange succession de coïncidences. Nos parcours entremêlés. Nos déambulations de touristes. Nos errances parallèles.

Chaque fois que je le croise il est seul et tient son appareil photo à la main, le porte parfois à son œil et fige ce qui l'entoure. Il semble dériver sans but précis mais toujours à l'affût. D'un visage, d'un détail, d'une perspective. D'une trouée de lumière. Je lui fais signe de s'asseoir. Il commande un demi.

C'est drôle de se croiser tout le temps comme ça, non ? Il se présente, me confie qu'il est photographe, vit à Nantes, prépare un reportage pour un magazine. Prend aussi des photos pour lui seul, ses travaux personnels, précise-t-il, qu'il expose parfois. Un livre peut-être. Il en a déjà publié deux. Il me donne son nom, mais celui-ci ne m'évoque rien. Je ne suis pas une spécialiste, lui dis-je en guise d'excuse. Les livres dont je m'occupe sont dénués d'images. À peine, de temps à autre, une illustration en couverture, ou sur un bandeau. Il me demande ce que je fais ici, devine que je ne vis ni ne travaille dans cette ville, que je suis de passage. En vacances, sans doute. Même s'il est rare de croiser des gens voyageant seuls pour leur agrément. Ah bon ? Je ne sais pas. J'aime bien me retrouver seule dans une ville que je ne connais pas. Marcher sans fin, me laisser transpercer. Puis, j'ignore pourquoi, sans doute parce qu'il me sourit avec tant de douceur, je lui confie une partie de la vérité. Mon père a disparu dans la nature. Il est parti en voyage sans en préciser la destination. Ni la durée. Cela fait plusieurs mois que je suis sans nouvelles. Mais on m'a dit l'avoir peut-être croisé ici. Aux terrasses du Bairro Alto ou de l'Alfama. J'ignore même si je dois m'inquiéter. Mon père est un être un peu à part. Imprévisible. Insaisissable. Mystérieux. Je le cherche sans le chercher. On m'a parlé de villages sur la côte. J'irai peut-être demain.

Nous quittons notre table et marchons dans la nuit atlantique. Le vent s'est levé, charrie des parfums d'algues et de sel. Je rêve d'eaux montantes, de paysages noyés. Nous fuyons en suivant la pente. Là-haut le château s'éteint, laisse la nuit à la nuit.

De ce jour où mon père m'attendait devant l'école, toutes mes affaires contenues dans le coffre de l'Alfa, je n'ai plus jamais vécu aux côtés de ma mère. Tout s'est déroulé sans la moindre explication. Mon père conduisait et le trajet n'en finissait pas. La voiture sentait le cuir et le tabac. Il triturait sans cesse le bouton de l'autoradio, passait d'une station à une autre. Coupait aussitôt que nous tombions sur sa propre voix. Je ne sais plus ce que ça me faisait à l'époque, d'entendre ses chansons un peu partout, dans les cafés, les magasins, à la télévision, sur les ondes. Ni même ce que j'en pensais. Si je les aimais.

À plusieurs reprises, nous nous sommes arrêtés dans une station-service. Il buvait son café en grimaçant sous le regard effaré des clients, des employés qui demandaient à le photographier, tandis que j'errais parmi les rayons. J'adorais ces étagères remplies de nourriture banale, de jouets bas de gamme et hors de prix. Comme la plupart des enfants je crois. Pas un instant mon père ne m'a expliqué ce qui allait advenir. N'y a même fait allusion. J'étais un peu perdue. Il avait beau avoir embarqué la quasi-totalité de mes vêtements, mes livres, mes jouets, mes affaires de classe, j'étais persuadée qu'il m'emmenait en week-end. C'était arrivé par le passé. Simplement, cette fois, nous n'allions pas à l'hôtel, ne rejoignions pas les pages normandes, Honfleur, Étretat ou Granville. Non, il m'emmenait chez lui, comme il me l'avait tant de fois promis, dans cette maison au fin fond de nulle part. Pourtant sa mine était grave, son humeur maussade. C'est à peine s'il m'adressait la parole.

Au bout de très longues heures, nous avons enfin quitté l'autoroute pour nous enfoncer dans des vallées noyées de brume. À la faveur d'un col l'Alfa s'est élevée au-dessus des nuages, le ciel s'y déployait sur un tapis blanc percé de sommets, puis nous avons replongé pour de bon dans un monde de coton. On arrive, m'a-t-il annoncé alors que nous traversions un village désert. L'Alfa tressautait sur l'étroit chemin de terre, sa carcasse semblait souffrir au passage des nids-de-poule. En contrebas, la rivière coulait furieuse, gonflée de pluie, se fracassait contre les rochers jetés là au hasard, charriait des feuilles mortes, une constellation de branchages. Sur la droite les falaises nous frôlaient dangereusement, parfois des arbres faisaient crisser la tôle. Je regardais par la vitre et tout me paraissait inamical et froid, vaguement effrayant. Les gorges se sont élargies et nous avons longé des champs. Deux ânes indifférents mâchaient l'herbe gelée d'un air las. Arrivé à hauteur de l'imposante bâtisse, ses hauts murs de pierre blonde, sa monumentale porte de bois, mon père a klaxonné deux fois et les battants se sont ouverts. Nous nous sommes garés sous une voûte épaisse. Tout ce que je voyais me serrait le cœur. Le jardin et les terrasses, le muret tout au bout qui marquait les limites de la propriété. La rivière qu'on devinait de l'autre côté. L'herbe rase et les arbres presque nus. L'homme qui nous avait ouvert et se penchait maintenant sur le coffre, se saisissait des bagages. La femme qui est venue à notre rencontre. Tous deux chaussés de bottes, vêtus de parkas brunes. La maison plongée dans la pénombre.

Mon père a allumé les lampes une à une et m'a fait signe de le suivre. Nous sommes passés d'une pièce à l'autre, la cuisine et le salon, la terrasse couverte et un autre salon, des chambres, des salles de bains, des couloirs d'où partaient des escaliers de bois clair. À l'étage certaines pièces communiquaient entre elles. Je ne comprenais rien à la disposition des lieux. L'ensemble me faisait l'effet d'un labyrinthe, rempli de passages secrets, de recoins, d'alcôves. Il m'a laissé choisir ma chambre, toutes étaient à ma disposition si je le souhaitais, à l'exception de la sienne, qu'assombrissaient des volets toujours clos. Elle était remplie de livres et d'objets, de disques et de bougies, de coussins japonais et de tapis afghans. Une guitare reposait en travers du lit défait. Le bureau était couvert de feuilles griffonnées. J'ai opté pour une pièce au hasard. J'aimais bien le grand lit et la fenêtre donnant sur un champ dont les hautes herbes encadraient un rectangle cultivé que bordaient six rangées d'arbres fruitiers. L'été, d'immenses tournesols se dresseraient au milieu des plants de tomates et de courgettes, des framboisiers et des carrés de salades et de pommes de terre. À l'automne d'énormes citrouilles ramperaient sur la terre. Contre le mur de la maison il y avait un enclos où s'ennuyaient six chèvres et quatre moutons, un clapier, un poulailler. Tout cela appartenait aux plus proches voisins, un jeune couple que je verrais bientôt s'activer dès le lever du jour et qui, pour joindre les deux bouts, multipliaient les tâches et exerçaient divers métiers. Pour elle, le ménage dans les gîtes de vacances avoisinants, la garde d'enfants après l'école. Pour lui les randonnées à dos d'âne et les travaux et réparations divers, voitures, électroménager, menuiserie, plomberie, électricité.

Mon père m'a aidée à m'installer. À faire mon lit. Disposer mes affaires. Puis il m'a fait visiter le studio. Aux murs s'accrochaient toutes sortes de basses et de guitares. Un grand piano trônait au milieu de la pièce insonorisée. Sur le sol filait une théorie de câbles courant de micros en amplis. Toutes sortes de claviers et de percussions s'alignaient au fond. De l'autre côté d'une grande vitre se tenait la console, avec ses centaines de boutons et de voyants. Puis nous avons traversé le jardin en diagonale jusqu'à la dépendance où vivaient, m'apprit-il, Paul et Irène. Nous sommes entrés et sur la table m'attendaient une part de gâteau et un chocolat chaud. Ce serait aussi le cas chaque jour des années qui suivraient. À mon retour de l'école. Les week-ends. Tout au long des vacances. Que mon père soit dans les parages ou qu'il disparaisse pour de longs mois. Qu'il soit ce chanteur adulé parcourant le pays de salle en salle. Ou ce misanthrope qui ne jouait plus que pour lui-même, quelques arbres, un cours d'eau, une nuée d'étourneaux.

Je ne revois ma mère que six mois plus tard. Personne n'a pris la peine de m'expliquer quoi que ce soit. Mais je suppose que dans mon esprit les choses sont à peu près claires. Je vis ici, désormais. Avec mon père quand il est là. Même s'il ne l'est jamais vraiment. Même si en dehors des périodes d'enregistrement, de promotion, des répétitions ou des tournées, nous ne faisons que nous croiser. Je crois que je l'encombre. Qu'il ne sait pas quoi faire de cette enfant qui traîne chez lui. Parfois je parviens à arracher son attention quelques minutes. Alors il semble émerger d'un long rêve, dans lequel il replonge aussitôt. Il n'y a guère que le week-end qu'il m'accorde un peu de temps, m'emmène pêcher ou cueillir les champignons. Aux beaux jours nous explorons les rivières avoisinantes, marchons dans l'eau à fleur de roches, puis nageons dans les piscines naturelles qui s'y creusent. Quand la fatigue nous surprend, que le soleil décline et gèle ma peau, nous gagnons la berge et remontons le cours d'eau en nous tenant aux arbres, les ronces nous griffent, les arbustes nous agrippent, jusqu'au chemin où nous attend l'Alfa couverte de poussière. Au cours de ces heures bénies, nous n'échangeons pourtant qu'une maigre poignée de mots.

En définitive, c'est Paul et Irène qui veillent à mon éducation et à tout ce qui me concerne par ailleurs. Repas, devoirs, habillement, jeux, soirées, couchage. Je vis plus chez eux que chez mon père. J'y dispose d'une pièce à moi. Y dors quand mon père s'absente ou que mon lit est réquisitionné par tel ou tel visiteur : musicien, choriste, ingénieur du son, producteur, arrangeur, gens du label, attachée de presse. Mon père ne prend même pas la peine de me prévenir. Un soir j'entre dans ma chambre et trouve un type allongé sur le lit, ses affaires étalées autour de lui. Une autre fois c'est au réveil. Ouvrant les yeux je tombe sur une femme endormie. Une violoncelliste gracile. Une bassiste androgyne. Une choriste à la peau acajou. Sous la couette nos corps se touchent et sortant des limbes je me souviens soudain d'avoir rêvé que ma mère me tenait dans ses bras. Je ne me rappelle pourtant pas que ce soit jamais arrivé. Toutes ces années je ne l'ai jamais appelée maman mais par son prénom. Jamais, m'adressant la parole, elle n'a adopté envers moi ce ton tendre et un peu bêtifiant qu'affectent

101

les autres mères. Jamais non plus elle n'a eu de gestes ni de mots tendres. D'attentions douces. De clins d'œil complices. Je n'ai pas connu la douceur de sa peau. Ni la chaleur de ses étreintes.

Mon père voulait me faire la surprise. C'est ce qu'il me dit quand un jour elle débarque. Je la vois sortir de l'Alfa, amaigrie, le visage creusé. Dans ses yeux passe un voile. La démarche mal assurée, elle semble épuisée. Elle l'est sans doute. C'est ce que je me raconte les jours suivants. Tandis qu'elle quitte rarement la chambre que mon père lui a longtemps réservée. Elle seule était autorisée à y loger. Même quand des musiciens se pointaient et que la maison était pleine. Il préférait alors qu'ils dorment dans la mienne. Même quand elle a fini par ne plus venir. Je n'étais pas jalouse, je crois, de ne pas avoir vraiment de pièce à moi dans cette maison. J'en avais une ailleurs. Chez Paul et Irène. Si j'ai jamais eu un jour un foyer, ce fut chez eux.

Ma mère me demande comment se passent les cours, si je me suis fait des amies. Cela fait maintenant six mois que je suis rentrée à l'école du village. Paul m'y mène chaque matin. Revient me chercher le soir. Plus tard, au moment du collège puis du lycée, il me conduira jusqu'à l'arrêt de bus. Je me souviens des matins d'hiver, l'habitacle gelé de sa vieille bagnole. L'odeur de cigarillos. Le thermos de café qu'il calait près du levier de vitesses. Les routes constellées de neige ou de givre. Les gorges où stagnait une brume épaisse. Le village aux volets clos, aux rues congelées, plongé dans la nuit saturée de brouillard. Étrangement, quand je repense à cette époque, ce sont le froid et la nuit qui me reviennent. Les grandes pluies du printemps. Les orages de septembre. J'ignore pourquoi ma mémoire est à ce point hivernale, pluvieuse. Pourquoi les grands étés caniculaires, les champs brûlés, l'eau tiède des rivières, la pierre chaude où je m'allongeais demeurent à ce point à l'arrière-plan, flous, presque inaccessibles.

Ma mère n'écoute pas mes réponses. Le trajet l'a éreintée. Elle souhaite se reposer.

Elle reste quelques jours, puis mon père la raccompagne à la gare de Valence. Durant les deux ou trois années qui suivirent elle vint ainsi me voir une dizaine de fois. J'ignore quelle vie elle menait alors à Paris. Plus tard mon père m'avoua qu'à chaque visite il lui signait un chèque. Qu'une part de lui s'est toujours demandé si elle venait pour me voir ou pour se renflouer. Nous avions si peu de contacts pendant ces séjours que la deuxième option m'a toujours paru la plus plausible. Avec mon père, les échanges étaient tendus. Je les entendais crier. Toujours au même sujet. Les produits qu'elle prenait. Sa vie qu'elle foutait en l'air. En dehors de chez lui elle faisait ce qu'elle voulait mais devant moi c'était hors de question. Sans doute, plus que tout, cherchait-il à la protéger contre elle-même. Sans doute n'avais-je pas grand-chose à voir là-dedans. Au fil des mois j'ai vu tant de ces adultes qui peuplaient la maison par intermittence prendre toutes sortes de choses. À l'époque, bien sûr, je n'avais pas la moindre idée de ce qu'ils fumaient, de ce que contenaient ces pilules qu'ils avalaient, ces filets de poudre qu'ils absorbaient par le nez. Le vin et la bière coulaient à flots. Le whisky. Pour ce que j'en sais, pour ce que j'en ai vu, mon père, quant à lui, s'en tenait surtout à l'alcool. Au moins quand j'étais dans les parages.

C'est à l'occasion de son dernier séjour que ma mère a rencontré l'homme avec qui elle a fini par s'envoler pour la Californie. Un producteur avec lequel mon père tentait de collaborer – les bandes qu'ils enregistrèrent ensemble finirent au bûcher, comme à peu près tout ce qu'il produisit en collaboration avec tel ou tel arrangeur traînant une réputation de génie. Régulièrement lui prenait la lubie de s'associer avec un des ces types. Quand il

ne partait pas travailler avec eux à Londres, Nash-
ville, Tucson ou Los Angeles, il les invitait à la
maison. Ça finissait invariablement par des cris, des
insultes. Parfois des menaces. Des coups, même,
une fois ou deux. Les journaux spécialisés s'en sont
souvent fait l'écho. Cela a fini par faire partie de sa
légende. Ces engueulades homériques, les bandes
brûlées. Les articles en rajoutaient la plupart du
temps. Certains parlaient d'armes blanches. D'un
fusil, une fois. Mais, sur ce dernier point, mon père
avait ses raisons. Et elles n'avaient rien à voir avec
la musique.

Après son séjour ici, le fameux producteur rap-
pela ma mère. Ils se virent à Paris à chacun de ses
passages en France. Puis un jour elle s'envola avec
lui et ne revint jamais. Là-bas le type avait abandonné la musique et s'était reconverti, suite à un
genre d'illumination ou de crise mystique, dans le
développement personnel. Avait ouvert une sorte
de centre ésotérique. Yoga, hypnose, tantrisme.
Une similisecte New Age. Ils y vivaient à l'année.
Ma mère assurait des cours. C'était difficile à
croire. Dans ses lettres, de longs monologues où
elle semblait s'adresser à elle-même, dans une prose
que rien ne destinait à une enfant, elle assurait
avoir totalement changé, s'être réinventée, avoir
trouvé son moi profond. C'en était fini de

l'errance, m'écrivait-elle. Fini des stupéfiants, des chimères de la vie mondaine, de la superficialité des carrières de mannequin, d'actrice, ou que sais-je — je n'ai jamais su, ne saurai jamais. Ce qu'elle était vraiment.

Vivant désormais chez mon père je découvre un autre homme, bien différent de celui qui apparaissait par éclipses, m'emmenait aux Tuileries ou au Luxembourg, me promenait au volant de son Alfa dans les rues de Paris. Prenait l'autoroute sans prévenir et roulait jusqu'à la mer. Au fil des mois j'apprends à me méfier de ses humeurs, de ses embardées, de ses trous noirs, de ses imprévisibles épiphanies. D'un jour à l'autre, d'une heure à l'autre, je ne sais à qui je m'adresse. Au songwriter méditatif, au chanteur dépressif, au musicien fiévreux, exalté, illuminé. Au solitaire reclus en lui-même, silencieux, inaccessible. Au type éruptif, inflammable, volubile, qui navigue parmi ses hôtes réunis dans la maison passant soudain du monastère au club à ciel ouvert. À celui qui se terre, fait la gueule du matin au soir, ne prête plus qu'une attention irritée à ces gens qui l'encombrent, dont il ne semble plus supporter la présence. Au père

lointain, ne s'apercevant qu'à peine de mon existence. À celui qui tout à coup prend conscience de
ma présence, paraît toujours surpris de me croiser,
abasourdi, ah, oiseau, tu es là, et m'accorde un sourire, quelques mots, de rares moments le long de la
rivière, au flanc des collines, au cœur noir des
forêts.

En définitive, je vis moins avec lui qu'à ses côtés,
dans ses parages. Sur ce point, ça ne me change pas
beaucoup de ce que j'ai connu auprès de ma mère.
Lui non plus ne m'a pas vraiment élevée. Jamais
parlé comme à une enfant. Il ne se soucie guère de
mes devoirs, de mes notes à l'école, de mon isolement amical ni de mes rares fréquentations. Il ne
s'intéresse pas à mon emploi du temps, ni à mes
occupations. À ce que je mange. Aux vêtements
que je porte. Aux jeux auxquels je joue. À ce que je
regarde à la télévision. Aux livres que je lis. Aux
heures auxquelles je me couche. Il ne me prévient
jamais de ses départs, même quand parfois il disparaît plusieurs mois. Ne m'alerte pas non plus des
allées et venues, tous ces gens qui logent à la
maison pendant plusieurs semaines, qui parfois
dorment dans mon lit, s'y vautrent en pleine nuit
alors que je suis plongée dans le sommeil, m'obli-
geant à migrer le lendemain dans la dépendance où
je retrouve mon autre lit. Mais jamais je ne me
plains. Jamais je ne ressens le moindre malaise.

C'est ma vie et j'y consens. C'est mon père et je l'aime. Tout comme j'aime vivre au milieu de ces adultes indifférents, occupés à vivre leur vie. J'y suis habituée. N'ai jamais connu autre chose. J'aime cette liberté et ces jours imprévisibles. J'aime me tenir en retrait et observer tous ces gens qui me tolèrent comme si j'étais la fille des voisins. Une fille un peu trop curieuse qui s'incruste sans qu'on lui ait rien demandé. Une espionne. Un chat errant. Un chien perdu sans collier.

Je n'ai jamais bien su qui était mon père. Qui il était au fond. Pour le comprendre il me faudrait dresser l'anthologie des légendes. Y opérer un tri. Même si je ne suis pas certaine d'en être capable. Sa biographie regorge de faits, d'anecdotes que je ne suis pas plus à même que quiconque de valider ou d'infirmer. Il me faudrait aussi me fier à ce que j'ai vu, ce que j'ai cru saisir – mais là non plus je ne suis sûre de rien. Et tenter d'assembler tout cela comme autant de points éparpillés, qui une fois reliés laisseraient apparaître une image. Qu'obtiendrais-je alors ? Rien sans doute. Des figures entremêlées. Des lignes contradictoires. Un puzzle impossible à reconstituer.

Mon père était un prince. Il en avait non seulement l'allure, mais aussi le titre. Ou un autre qui s'en approchait. Un pedigree. C'est ce qu'on pouvait lire dans tous les journaux. La même légende s'y reproduisait à l'infini. Il était né en Italie et descendait d'une grande famille génoise. Son arbre généalogique : un précipité de noblesse déchue. Une enfance dorée, la vie de château, les oliviers, les cyprès. Un père français. Qui l'envoya faire ses études à Paris. Là-bas, les premiers groupes. Les premiers concerts. Le premier disque. Et très vite, le succès.

C'est vrai qu'il avait quelque chose d'aristocratique. Son visage aigu. Son élégance déglinguée de dandy décadent. Et oui, sa mère était italienne. D'ailleurs il parlait parfaitement la langue. A fait carrière là-bas aussi. Adaptant certaines de ses chansons pour les concerts, un cadeau au moment des rappels. Quelques titres furent même gravés sur des versions spéciales de ses albums, dont certains devinrent des classiques. Jamais il n'a nié. N'a corrigé la biographie qu'on lui prêtait. Et personne n'a jamais pris la peine de vérifier.

J'ignore comment est né ce mensonge. Ni pourquoi il y a consenti. S'il s'agissait pour lui de revêtir un masque, d'une façon de se réinventer, de créer un personnage plus grand que lui-même, un double fantasmé. De nourrir son propre mythe. De se forger une carapace, un abri de fiction, et de garder pour lui la vérité de sa vie. Ou s'il avait simplement honte de ses véritables origines, de son enfance pauvre dans la minuscule chambre de bonne d'un immeuble de Belleville. Le septième étage qu'on gagne par l'escalier de service. La pièce unique sous les toits, qui fait office de salon, de cuisine et de chambre tout à la fois. Les toilettes sur le palier et la galerie de voisins tous aussi démunis les uns que les autres. Des Espagnols, des Serbes, des Russes. La vie de bouts de chandelles. Son père sans visage et sans nom, parti avant sa naissance. Le français hésitant de sa mère, son accent au couteau. Ses petits boulots de couturière, de femme de chambre. Je ne l'ai pas connue. Elle est morte avant que je voie le jour, d'un cancer du poumon. Sur toutes les photos que m'a montrées mon père, elle coince une cigarette entre ses lèvres. C'est une petite femme très brune, aux cheveux bouclés, toujours vêtue de blouses à fleurs. Collants épais, chaussures grossières. Ses traits comme sa façon de s'habiller accusent un âge qui n'est pourtant pas le sien. Prenant de l'avance jusqu'au moment de mourir. Usée par des années qui comptent double. Jamais mon père ne m'en a parlé sans que ses yeux se troublent.

Elle m'a tout donné, disait-il. Elle a tenu jusqu'à ce que je sois sur les rails. Même si elle désapprouvait la vie que je m'apprêtais à vivre. Chanteur, ce n'était pas un métier. Se dandiner comme ça sur scène, devant tout le monde. Se donner ainsi en spectacle. Et ces choses que je racontais dans mes chansons. L'impudeur. L'indécence. Cette façon que j'avais de m'épancher. De me répandre. Cette façon que j'avais de me vêtir, de laisser pousser mes cheveux, de me maquiller les yeux, de me mettre à genoux, de me tordre derrière le micro. Elle trouvait ça indigne. Elle disait que la célébrité gâchait les gens. Que l'argent corrompait. Elle ne s'était pas saignée pour ça. Elle s'est sacrifiée pour moi, tu comprends. Elle en est morte. D'épuisement. De solitude. Seule dans un pays étranger avec un enfant à charge et un salaire de misère. Ce n'était pas une vie, tu sais. Je ne sais pas si elle a été heureuse un jour. Si même elle y a pensé. Si cela avait un sens pour elle.

J'ai rencontré son père en même temps que lui.
J'avais onze ans. Il jouait à l'Olympia, une semaine
à guichets fermés. Il m'avait emmenée avec lui pour
une fois. C'étaient les vacances. L'occasion de
passer quelques jours à Paris. Nous logions dans un
hôtel du quartier de l'Opéra. J'y restais toute la
journée, faisais défiler les chaînes de la télévision,
décrochais le téléphone et commandais des chocolats chauds, des biscuits, des confiseries. La
chambre était entièrement rouge. Édredons. Coussins. Toile tendue aux murs. Rideaux. On venait
me chercher une heure avant le concert. J'avais ma
place réservée. J'assistais médusée au spectacle.
Mon père méconnaissable, transformé. La foule
qui hurlait son nom, les fans hystériques. Puis au
moment des rappels, on me conduisait dans les
loges où je l'attendais. Je m'asseyais dans un coin
tandis qu'il se changeait, avant que la porte s'ouvre
et que s'y déverse un torrent de connaissances,

d'admirateurs, de chanteurs, d'actrices, de journalistes. On le couvrait de fleurs, de chocolats, de joints déjà roulés, d'alcools de prix, de pendentifs et de bracelets. Puis nous sortions dîner en petit comité. Lui et moi, Jeff, son guitariste de toujours, ses autres musiciens, des gens du label, sa tourneuse, l'ingénieur du son, parfois un critique musical, une ou deux chanteuses, actrices, mannequins, que sais-je. Décalques de ma mère envolée se reproduisant à l'infini. Jeunes femmes longilignes. Longs cheveux lisses. Front barré d'une frange. Robes courtes et bottes noires coupées au genou. À la sortie de la salle patientait une petite foule en quête d'autographes. Parmi elle ce soir-là se tenait un homme plus âgé que la moyenne. Il s'est avancé vers mon père, tremblant un peu. Visiblement intimidé, il l'a salué avant de lui remettre une lettre, en lui demandant de la lire au calme, s'il le voulait bien.

Mon père aurait pu la jeter. L'oublier dans la poche de son manteau. Au fond d'un sac. La confier à son manager. Il en recevait tant. En main propre ou par courrier. Par l'intermédiaire de sa maison de disques. Mais il ne l'a pas fait.

Durant tout le dîner je l'ai senti inhabituellement tendu. Bien sûr il y avait la fatigue du concert. Il en sortait toujours vidé. Dévoré. La scène, m'avait-il avoué un jour, c'est se donner en pâture. Littéralement. Se donner soi sans carapace. Les acteurs jouent un rôle. Les chanteurs peuvent essayer de le faire croire. Mais c'est du flan. Il n'existe aucune autre discipline où on se fait bouffer à ce point. Les plasticiens, les écrivains restent planqués derrière leurs œuvres, leurs bouquins. Les comédiens derrière leurs rôles. Les metteurs en scène ne sont pas sur scène. Les réalisateurs sont rarement dans la salle. Tous, ils vendent autre chose qu'eux-mêmes. Il y a quelque chose entre eux et le public. Un objet transitionnel. Un texte, un écran qui les protège, les camoufle. Les chanteurs, en concert, c'est leur peau même, leur corps entier, leurs mots, l'intérieur de leur cerveau qu'ils mettent en jeu. Sans filtre. Sans distance. Dans aucune autre forme d'art on avance à ce point nu, vulnérable. Le chanteur sur scène, c'est un don brut. Primitif. Un truc de cannibale.

Mais ce soir-là il y avait autre chose. Autre chose que la langueur radicale d'être dépouillé de soi, autre chose qu'un épuisement intérieur. Une impatience. Une irritation. Une anxiété. Pourtant le concert s'était bien passé. Les gens avaient l'air contents. Les rappels avaient semblé ne jamais devoir finir. Mon père avait chanté à genoux, s'était tordu sous les lumières, électrocuté, parcouru de décharges. La foule l'avait porté comme un Christ sans croix. Et il avait descendu la bouteille de bordeaux réglementaire tandis qu'il chantait sa reprise de *Lilac Wine*. La pute avait bien fait son travail, comme il le disait parfois. Ils en avaient eu pour leur argent.

Je voyais bien qu'il avait hâte d'en finir, de rentrer à l'hôtel. Il faisait mine de s'inquiéter de ma propre fatigue, semblait soudain prendre conscience de ma présence. De la présence d'une enfant si tard dans une brasserie bruyante et festive, où l'on buvait bien plus que l'on ne mangeait. Où l'on dînait d'alcools. Nous sommes rentrés à l'hôtel, en dépit des protestations. Mon père m'a demandé de filer à la salle de bains, de me préparer pour la nuit. Quand je suis ressortie il fumait à la fenêtre, un verre à la main, rempli de whisky. Sur le lit traînaient l'enveloppe décachetée et les trois feuillets de la lettre. Je me suis approchée de lui. Et il m'a entourée de son bras, m'a embrassé les cheveux. C'était si inhabituel, ce contact. Les rares fois où cela s'était produit il m'avait paru si emprunté. Comme s'il ne savait pas comment s'y prendre. Ou bien comme s'il n'était pas prêt à consentir, même à l'abri des regards, à l'abandon et à la sentimentalité qu'engageaient ces gestes simples. Serrer son enfant dans ses bras. Le bercer. Respirer l'odeur de ses cheveux. L'embrasser sur le front. Pardonne-moi, m'avait-il lancé un jour, sans pourtant que j'aie jamais formulé le moindre reproche. Tu comprends, ma mère était d'une retenue, d'une pudeur maladives. Tout épanchement était pour elle une indécence, une mièvrerie. Et je n'ai pas eu de père. Je ne sais pas ce que c'est d'être père. Comment agir, me comporter. Je n'ai pas eu de modèle.

Il m'a demandé de me mettre au lit. N'a pas dormi de la nuit je crois. Dans mon sommeil morcelé, j'ouvrais les yeux et le trouvais toujours à la même place, fumant à la fenêtre. D'heure en heure la bouteille se vidait. Au matin, tandis qu'il se douchait, j'ai lu la lettre. Elle disait je suis venu chaque soir, et tant de soirs avant ça, d'année en année. J'ai si souvent tenu cette lettre entre mes mains. T'ai si souvent attendu après le concert, au milieu de tes admirateurs, de tes admiratrices. J'ai vu leurs yeux briller. Leur ferveur. L'amour qu'ils te portent. Je t'ai vu rayonner au milieu de la scène, absorber la lumière, la diffuser autour de toi. Une lumière noire, profonde. Je t'ai vu si beau, intense, inflammable. Tous ces soirs au milieu de la foule j'étais si fier. Je n'en avais sans doute pas le droit. Il n'y a sans doute pas de quoi. Mais si je ne suis pas fier de moi je le suis de toi. J'ai tant de regrets tu sais. J'étais si jeune quand j'ai connu ta mère. J'étais si jeune et j'avais envie d'autre chose. Pas d'un couple. Pas d'un enfant. Pas d'un foyer. Ou bien je le voulais mais je ne le savais pas encore.

La lettre disait je suis ton père et je suis parti, tu ne me connais pas mais je te suis du regard. Depuis tes débuts je te suis. Partout ils écrivent que tu es un prince. Un prince génois. Je sais que c'est faux. Et pourtant ils ont raison. Mon garçon. Mon prince. J'aimerais un jour, si tu le veux, te rencontrer. Nous avons tant à rattraper. Tout ce que j'ai raté. Ma vie entière. Je comprendrais que tu refuses. Alors je continuerai à te guetter dans les journaux, à la télévision, à être fier, à être inquiet. Je viendrai t'écouter à chaque concert. Je serai là, anonyme, au milieu de la foule. Mais je ne viendrai plus t'attendre une fois les dernières notes envolées, une fois les lumières rallumées.

Jamais mon père et moi n'avons reparlé de tout cela. Les mois ont passé et un jour il m'a dit je te présente ton grand-père. La chambre sentait le désinfectant et la chimie. Un hôpital de banlieue. Par les fenêtres on pouvait voir couler la Seine, s'enchevêtrer les voies ferrées. Le ruban rouge orangé des voitures. Ils avaient pris contact quelques mois plus tôt. Il ne leur en restait qu'une poignée pour rattraper ce qui pouvait l'être.

Nous avons parlé toute la nuit. Fait l'amour, aussi. Lentement. Dans la quiétude absolue de la ville endormie. Nous sommes assoupis. Réveillés, collés l'un à l'autre. L'aube progresse et je ne sais ce qui m'a poussée à lui révéler l'identité de mon père. Quel besoin j'ai eu soudain de lui raconter l'histoire.

Il n'a pas eu à me poser la moindre question. À peine m'a-t-il encouragée d'un geste, d'un regard. Quand j'ai prononcé son nom, il a juste dit combien il aimait ses chansons, comme elles l'accompagnaient depuis toujours. Sur le coup, cela ne m'a même pas surprise. Ce hasard. Cette coïncidence. Ils sont si nombreux à l'aimer. À l'écouter encore, à espérer son retour, bien longtemps après qu'il s'est tu.

Du dehors nous parvient le pépiement des oiseaux qu'affole le lever du jour. Suivent les grincements des premiers tramways, des rideaux que l'on soulève aux devantures des cafés. Le chuintement des pneus, le bourdon des moteurs. Premiers travailleurs, camions de livraison. Au milieu de la nuit je lui ai dit ce qu'il savait déjà. Ce que chacun connaissait. Qui avait débordé des journaux, occupé les pages, les ondes des jours entiers. Le départ de mon père en pleine nuit. La maison fermée. Paul et Irène. Le prétexte du voyage. Le détour supposé par Paris pour me voir. La tonalité des ultimes chansons. Lors de mon dernier séjour j'avais fini par entrer dans sa chambre, par fouiller dans ses papiers, ses carnets. J'avais lu ces mots prémonitoires. Cette obsession du départ, de la fuite. Cette insistance à disparaître. Ce lexique de l'effacement. Ce sentiment d'une fin proche. J'aurais sans doute dû m'en inquiéter. Mais n'en avait-il pas toujours été ainsi. Passé les premiers disques. Les phrases joueuses, les jeux de mots absurdes, la mélancolie en laisse, contenue par l'énergie, les guitares rageuses, les cuivres étincelants. Peu à peu la gravité avait pris le pas. La mélancolie nébuleuse. Les ténèbres et les fissures. Tout s'assombrissait au fil des événements. La mort de sa mère. Puis celle de son père. Gabriella. Le calvaire de Jeff. De disque en disque la lumière s'amenuisait. Le sens se faisait crypté. Les couplets, les refrains, les accords, tout se désorganisait, s'effilochait. Ne restaient que des images. Des sensations troubles. De givre et de silence. Une lente évaporation. Jusqu'à la nuit complète.

Et puis, des semaines plus tard, la voiture retrouvée sur la berge du fleuve. La guitare sur la banquette arrière. Les bottes laissées dans le sable boueux. L'ébauche de poème. Les recherches et les conjectures.

Un parfum de café et de pain grillé s'insinue dans la chambre, se faufile entre nos peaux collées, contamine le goût de nos bouches, notre salive. À nouveau nous basculons l'un sur l'autre et il m'emplit et je le contiens tout entier. Son corps lisse et maigre. Ses membres déliés. Soudain si lourd au moment de s'affaisser. Comment en sommes-nous arrivés là. Inconnus l'un à l'autre, touristes de hasard baisant dans le matin d'Alfama. Il y avait eu si peu de mots tandis que nous marchions vers l'hôtel. Nos mains se frôlaient. Elles ont fini par se nouer. Et il m'a suivie quand j'ai poussé la porte vitrée, traversé le hall, grimpé les escaliers jusqu'à ma chambre.

Qu'est-ce qui me pousse à parler encore, à lui livrer toutes ces choses que je n'ai jamais dites à personne. Ces mots jamais prononcés. Ces images longtemps retenues. La grande maison au bord de la rivière. Les longs mois d'impuissance où je croisais mon père pareil à un fantôme, passant de sa chambre au jardin où il errait en marmonnant, les yeux rougis, les nerfs à vif, rongé d'alcool. Puis la frénésie qui le prenait quand tout s'éclairait. Les nuits entières, les jours enfermé dans le studio. Les musiciens qui rappliquaient. Le bordel dans la maison, le jardin, au village, partout. Les fans et les paparazzis qu'il fallait fuir. Le fameux épisode du producteur chassé sous la menace d'une arme à feu. Parce que ce type avait cru bon de se glisser dans ma chambre. J'avais quatorze ans. M'étais réveillée en sursaut tandis qu'il caressait mes cheveux, que sa main s'aventurait sous les draps. J'avais hurlé et sa main sur ma bouche n'avait pas su contenir mon cri. Mon père débarquant nu au bout d'un fusil. La maison pleine à craquer cette nuit-là comme tant d'autres. Les deux journalistes invités à suivre l'enregistrement relatant la scène, la seule dont ils eurent jamais connaissance : mon père traversant le jardin sa carabine à la main, éructant, poursuivant tout à fait nu le grand producteur anglais qui avait collaboré avec les plus grands, Bowie, Lou Reed et les autres. Le poursuivant longtemps sur le chemin de terre qui menait au village.

Quoi d'autre.

La relation tumultueuse qui l'avait opposé à Gainsbourg jusqu'à la mort de ce dernier, les insultes et les menaces par médias interposés, l'altercation dans un grand restaurant parisien, les efforts que produisaient leurs managers pour apaiser les choses. Tous ces trucs qu'ils faisaient pour la galerie, pour alimenter les gazettes, comme un jeu potache, alors qu'ils se vouaient une admiration sincère, se retrouvaient en secret plusieurs fois par an, rue de Verneuil, pour partager un dîner, une soirée, des barriques de whisky, se raconter leurs vies, s'enquérir de l'avis de l'autre sur le dernier disque, la dernière chanson composée.

La quantité de drogues qu'il prenait. Je n'ai jamais su. Importante sans doute. Moindre depuis que j'étais dans ses parages. Que je m'y étais glissée malgré moi. Les litres d'alcool qu'il s'envoyait.

123

Insoupçonnables en définitive. Parce que toujours il gardait cette prestance, ce regard aiguisé, ce verbe précis, cette allure impeccable. Ivre mais toujours digne, princier, grand seigneur. Le plongeon dans la Seine, les chambres d'hôtel saccagées. Les concerts mythiques, les moments de transe. Les concerts foirés, bâclés, sorties de scène avant la fin du set, tombereaux d'insultes s'abattant sur un public écœuré, l'altercation violente avec un bassiste défoncé pendant le show, la parodie de suicide, la lame glissant sur les bras, les poignets, entaillant les veines, le sang qui gicle et les hurlements des fans au premier rang. L'intervention des pompiers et le séjour en clinique.

La liste de ses conquêtes. Sa réputation de grand séducteur. Et sans doute l'a-t-il été un jour. Au moins à ses débuts, à la grande l'époque de sa vie parisienne, multipliant les aventures, parmi lesquelles figura ma mère. C'est en tout cas ce qu'elle s'est toujours plu à me raconter : ton père est un coureur. On lui prêtait tant de liaisons. Actrices, chanteuses, mannequins, admiratrices cueillies à la fin des concerts. Je n'en savais ni plus ni moins que les autres. Je lisais ça sur les couvertures des journaux. J'entendais courir les ragots. À l'école, puis au collège. Dans les rues du bourg où j'étais à jamais « la fille du chanteur ». J'ignore quelle vie menait mon père quand il s'absentait. S'établissait à Londres, New York, Los Angeles. Sillonnait la France et l'Europe pour donner ses concerts. S'installait à Paris pour assurer la promotion de ses albums. Je n'en connais, comme chacun, que la rumeur. Une pelote indémêlable de on-dit, de clichés éventés, de témoignages plus ou moins fiables. Des photos volées à la une des magazines. Des mains nouées dans la rue, un baiser furtif, une étreinte. Les menaces de l'amant légitime promettant de venir lui faire la peau. Tout ce qui entretenait sa réputation d'homme à femmes, de dandy sulfureux me parvenait sans que je puisse faire le tri entre le vrai et le faux. Pourtant, en ce qui me concerne, je ne lui ai connu qu'un grand amour. Deux, en comptant Jeff. Deux grands amours. Dont il ne s'est jamais vraiment remis.

Je lui raconte aussi ma vie de tous les jours. Je parle trop sans doute. C'est un flot qui se déverse malgré moi, trop longtemps retenu, un flux de phrases que j'échoue à endiguer. Tout s'y précipite. Le départ en voiture au petit matin, Paul au volant mâchonnant son cigarillo. L'odeur de chien et de tabac. D'humus et de boue. Le village désert, noyé de brume, de givre ou de neige. Le bâtiment austère. La cour nue. Mon effroi devant ces enfants que je ne connais pas. La vieille institutrice revêche. Les parents à la sortie des classes. Les embrassades, le pain au chocolat. Les mères de famille débordées. Les pères de temps à autre. L'étude avec les rares élèves qui y restent. Et Paul de nouveau. En vêtements de travail. Bottes de caoutchouc, salopette de jardinage, jean et chemise couverts de plâtre. Un peu plus de deux ans dans cette école et je me souviens de si peu. Les feuilles mortes sur le toit transparent du petit gymnase.

L'odeur de poussière et de craie. Les lourdes pluies de printemps couvrant la voix de la maîtresse. Le soleil de plomb en mai, et nos peaux grillées à travers les vitres le long de la classe. L'écureuil prisonnier de sa cage, qu'il faut nourrir à tour de rôle. Les récréations solitaires. Les autres enfants comme derrière une vitre sans tain. Batailles de marrons. Football à l'aide d'une balle de tennis, élastiques, cordes à sauter. Je suis celle qui n'a pas de voisine en classe. Celle qu'on oublie d'inviter aux goûters d'anniversaire. Celle qui ne connaît aucun des noms qu'on prononce autour d'elle, chanteurs, sportifs, stars de la télé, héros de dessin animé. Celle que jamais son père pas plus que sa mère ne viennent chercher à l'école. Celle dont les enseignants ne demandent jamais à voir les parents. Celle qu'on choisit en dernier pour constituer une équipe. Je suis celle qui rougit quand on lui adresse la parole. Celle qui n'a pas de père agriculteur, maçon, employé de banque, gérant de supermarché ou de bar-tabac. Celle qui n'a pas de mère vétérinaire, réceptionniste dans un hôtel, comptable, caissière au supermarché. Celle qu'élèvent des grands-parents qui ne sont pas les siens. Celle qui s'endort sur un canapé au milieu du vacarme, des bouteilles vidées, des joints consumés. Celle dont la mère vit de l'autre côté de l'océan. Celle dont le père disparaît plusieurs semaines d'affilée. Celle qui trouve dans son lit une violoniste, un bassiste empestant la cigarette et le whisky. Celle qui voit son père en photo à la une des magazines. Celle qui l'aperçoit à la télévision. Celle qui a la nausée quand en voiture, au supermarché, elle entend sa voix chanter des mots sombres. Je suis celle qui grandit sans souvenirs d'enfance. Celle dans le car assoupie, lacets du col puis plongée sur Aubenas, route bordée de platanes dans la nuit et le collège où l'on murmure à mon passage. Je suis la fille du chanteur célèbre qu'on écoute à Paris mais pas ici. Le chanteur intello dépressif aux paroles incompréhensibles. Le dandy drogué dangereux sexuel autodestructeur. La fille du grand bourgeois dans son domaine au bord de la rivière. Qui abandonne son enfant aux gardiens tandis qu'il sillonne la France et le monde. Qu'il baise des actrices célèbres. Sourit aux animateurs de la télévision. Parle cru chez Ardisson. Lunettes noires, foulard de soie, santiags, veste à sequins, pantalon serré. La fille qui vit dans la grande maison où son père erre en marmonnant, la mine sombre et le regard vide. La grande maison où afflue une faune étrange à qui l'on prête tous les vices, toutes les dépravations. Une maison qu'on tient pour un bordel, un antre de décadence, un théâtre de débauche. Au village je suis la fille sur son vélo, le long des champs, des rivières. Dans les ruelles. La petite sauvage qui s'endort sous les arbres, mâchonne des brins d'herbe, escalade les parois plantées de châtaigniers, remonte les rivières de l'eau jusqu'à la taille. S'écorche les coudes, les genoux. Griffée par les ronces, les arbustes. Poncée par la roche. Frigorifiée dans l'eau gelée. La fille aussi, pour quelques-uns, du père « célèbre mais simple au fond ». Qui parfois vient boire un verre en terrasse, passe au tabac acheter ses clopes, discute sans façon avec les commerçants, les paysans, les artisans. La fille dont s'occupent des braves gens, aimants et taiseux, discrets et attentifs, que tout le monde connaît et respecte au village. La fille au collège qu'aimante cette autre fille. Ses cheveux, ses manières. Ses vêtements. Qui ose enfin lui adresser la parole. Se fait accepter dans son sillage. Et peu à peu fraie par cette grâce avec d'autres filles, quelques garçons. La fille qui peu à peu sort de sa réserve. Tente d'exister en dehors de son père.

Clara et moi, nous ne nous quittons plus jusqu'à nos dix-sept ans. Je la suis partout. Et inversement, même si ses parents voient notre amitié d'un mauvais œil. Mon père, notre mode de vie, ce qui se trame à la maison quand leur fille y reste pour le week-end, ce qu'ils en imaginent les inquiète. Ils sont loin d'être les seuls. Au fil des années quelques-unes des amies que j'ai fini par me faire au collège, puis au lycée, s'éloignent sous la pression de leurs parents. D'abord elles m'annoncent qu'elles n'ont plus le droit de venir chez moi. Parce qu'elles ont trop parlé. De l'alcool et des nuits blanches, des joints et des soirées qui partent en vrille. Des hommes qui embrassent d'autres hommes. Des femmes qui enlacent d'autres femmes. Des mots crus qui circulent, des idées dangereuses qui s'exposent. De tout ce dont nous sommes témoins. Ou bien c'est de nous savoir seules avec mon père et bientôt Jeff, sa réputation trouble, ses cures de désintox, le spectre de l'héroïne, ses crises, ses gestes soi-disant déplacés. Il aime laisser traîner ses doigts dans nos cheveux, effleurer nos joues, prendre nos mains dans les siennes. Nous écouter babiller écroulé dans un coin, abruti d'herbe et de whisky, les larmes aux yeux en permanence. Et puis il y a Gabriella, et sa manie de déambuler à poil dans la maison, dans le jardin, les engueulades avec mon père, les cris et les cheveux arrachés, sans se soucier de la présence de tiers. L'atmosphère de scandale qui la suit où qu'elle aille, au village, en ville quand elle nous accompagne au volant de l'Alfa, parce qu'elle en a marre de la campagne et des ploucs, qu'elle veut un peu de vie. Sa beauté tapageuse, indécente.

Elle n'est pas restée longtemps avec nous. En le quittant elle a emporté une part de mon père, qu'on n'a jamais retrouvée, le laissant exsangue, vidé de lui-même. C'était peu avant son dernier album. Dans une certaine mesure ce disque lui était destiné. C'était un appel. Une preuve. Une déclaration. Qui n'a rien changé. Une bouteille à la mer jamais réceptionnée. Un message privé de destinataire. De la somme de malentendus et de silences qui a entouré la sortie de son ultime opus, un seul l'a vraiment blessé. Je crois qu'il attendait un miracle. Voir Gabriella ressurgir, transpercée par ses mots, rendant les armes. Rien de tout cela ne s'est produit. En définitive, ce disque s'adressait à des gens disparus, qui n'ont jamais répondu. Gabriella. Sa mère, son père. Et Jeff, bien sûr. Mais eux trois, c'était autre chose. Ils n'étaient plus parmi nous. Des fantômes. Des spectres. Des souvenirs.

Clara vit dans un petit immeuble, en lisière d'un bourg à dix kilomètres de la maison. Le car s'arrête sur la place de l'église et elle fonce vers moi, s'installe à mes côtés, à la place que je lui réserve toujours. C'est moi qui la cueille mais c'est elle qui m'entraîne dans ses pas. Au collège je me tiens toujours dans son ombre, ne la quitte pas d'une semelle. Elle me protège, m'initie, m'intègre. Me fais sortir de ma coquille. M'éloigne des rivages de la solitude.

Chez elle se joue une existence tout à fait banale, mais qui me semble à moi, qui n'ai jamais rien connu de semblable, extraordinaire. Une mère secrétaire médicale, un père employé dans une agence locale d'une compagnie d'assurances. Un appartement standard. Un frère et une sœur moins âgés. Des repas en famille. Des conversations triviales, l'école et les devoirs, la pizzeria du samedi soir, les balades et les pique-niques, le bowling, le cinéma. Les réprimandes à cause des mauvaises notes. Les punitions. Interdiction de télévision. Les négociations pour une sortie. L'achat d'un vêtement de marque. Du dernier CD d'un chanteur à la mode. À ses côtés j'apprends les rudiments de la vie commune.

Les premiers temps ses parents ont l'air impressionnés de m'avoir sous leur toit. Prennent mes silences et ma discrétion pour du mépris. Elle est pas un peu bêcheuse ta copine ? Je ne le suis pourtant pas, je crois. C'est juste que j'observe, ébahie. Ces mots, ces gestes, ces façons d'être. Des parents. Des enfants. Des frère et sœurs. Leur manière de parler, de se mouvoir, d'occuper le temps. Les repas en famille. Les chicaneries. Les moments complices. Le quotidien partagé. Les courses au supermarché. Les jeux de société. La musique reléguée à l'accessoire, au décoratif, au superflu. Je lui envie tout. Ses vêtements. Sa coiffure. Sa famille. Son appartement. Leur vie réglée. Contrainte. Jamais laissée à elle-même. Sans errance. Sans abîme apparent. Sans excès. La façon dont Clara se comporte vis-à-vis de ses parents. Oscillant entre provocations adolescentes et minauderies de l'enfant qu'elle est encore, qu'elle s'autorise à être, devant un père et une mère qui ne s'adressent jamais à elle comme à une adulte, la guident, la couvent, l'étouffent parfois. Alors bien sûr, elle aussi m'envie. Rêve d'être à ma place. Fantasme sur ma condition de demi-orpheline, de fille de star déjantée, d'actrice mannequin égérie shootée reconvertie dans le New Age. Elle adore venir à la maison, naviguer au milieu des adultes, finir les bouteilles, tirer une taffe de la cigarette ou du joint qu'on lui tend, évoluer au milieu de ces musiciens azimutés, de ces filles sophistiquées. Elle est amoureuse de Jeff. En admiration totale devant Gabriella, sa beauté incendiaire, ses humeurs de feu. Elle aime que personne ne nous demande de comptes sur notre emploi du temps, l'heure de nos couchers, de nos levers, notre travail à l'école. Elle aime qu'on s'adresse à elle comme à une adulte, que personne n'adapte son discours, ses manières, son comportement. Elle aime la liberté folle dont nous bénéficions quand mon père s'absente et laisse la maison déserte. La grande bâtisse pour nous deux seulement. Elle erre de pièce en pièce, s'attarde au studio, fouille les armoires, le bureau, les chambres. Quand elle est là Paul et Irène n'osent pas nous déranger. Exiger quoi que ce soit. Nous vivons dans la maison, seules. Irène nous porte les repas qu'elle nous a préparés et repart aussitôt. Nous ne sortons qu'une fois la nuit tombée pour explorer les alentours, nous guidons dans la pénombre à l'aide d'une lampe de poche, heureuses d'être effrayées. Longeons la rivière, traversons les forêts, gravissons les collines. Fumons à moitié saoules allongées dans l'herbe des prairies en pente. Nous approchons des maisons isolées. Explorons les granges, espionnons les familles, fuyons des chiens hargneux. Finissons un jour par tomber sur la ferme. Et la bande qui y vit.

Nous étions en quatrième quand Gabriella s'est installée, pour deux printemps et deux étés, à la maison. Entre-temps elle accompagnait mon père sur les routes. Si bien qu'ils ne se sont pas quittés pendant près de deux ans. Mais leur histoire avait commencé bien avant ça. C'est en tout cas ce qu'on peut lire dans les deux biographies qui ont été consacrées à mon père. Ma mère n'y fait l'objet que de quelques lignes. Je n'y apparais qu'au détour d'une phrase. Et si ces deux livres accréditent la thèse du grand séducteur, ils s'entendent aussi sur une chose : Gabriella fut son grand amour. Les lire a été pour moi une expérience étrange. Je n'ai jamais su décider si l'homme méconnaissable qu'on y dépeignait, l'accumulation d'erreurs factuelles, d'interprétations hasardeuses les invalidaient tout à fait. Ils sont truffés de mensonges, de rumeurs accréditées à l'aveugle, de propos rapportés par des témoins douteux et pourtant, il m'est arrivé de prendre certaines pages pour argent comptant. Au fond, concernant tout un pan de sa vie, dont j'ai été absente, même vivant dans ses parages, ils constituent les seuls éléments dont je dispose. À l'exception des interviews télévisées, et de deux ou trois entretiens accordés à la presse, menés par un journaliste en particulier, toujours le même, qui écrivait pour un hebdomadaire musical et que mon père estimait. Selon ses dires ce type avait toujours respecté scrupuleusement ses réponses, les avait retranscrites sans les déformer, ce qui était à l'entendre d'une rareté remarquable. Mais il n'y parlait que de création, de musique, de littérature. Il n'y était qu'entité cérébrale, sans consistance physique, sans attaches, un pur esprit. Il y était celui qu'il tentait de rejoindre les dernières années, ermite en sa demeure, reclus avec son piano, ses guitares, ses arbres et la transparence silencieuse des rivières. Ne sortant plus de sa réserve que pour méditer au milieu des champs, ou rendre visite à cet homme qui vivait plus loin dans les collines, un fou ou un vieux sage, qui ne s'exprimait que par sentences, sourates, versets, mantras éthérés.

De leur histoire avant l'arrivée de Gabriella à la maison, je ne sais donc que ce que j'ai lu dans des livres à la fiabilité relative, mais dont les versions concordent. La première rencontre au moment du troisième album. Je n'étais pas née alors. C'était le début de la grande notoriété, des concerts bourrés à craquer, des chansons sur toutes les lèvres. Des apparitions médiatiques demeurées mythiques. Des premières légendes. Des premières frasques. La naissance du personnage. Le prince génois. Le dandy magnétique. Sourire en coin. Mots corrosifs. Provocants. Les concerts enfiévrés. Gabriella jouait sur la tournée. Assurait les chœurs, des parties de clavier. Mon père l'avait remarquée lors d'une émission télévisée. Lui avait immédiatement proposé de rejoindre le groupe. Leur liaison débuta au soir du troisième concert, alors qu'ils se produisaient à Bruxelles. Même si elle avait quelqu'un à Londres, où elle vivait, quoique originaire du Brésil. Elle y rentra après la tournée. Mon père décida d'enregistrer l'album suivant là-bas. Abbey Road. Une catastrophe. Il en vint aux mains avec le producteur qui réalisait le disque. Ils n'étaient d'accord sur rien et le type le prenait de haut. Toutes les bandes finirent aux ordures. On a beaucoup glosé sur cette mésentente, ce gâchis. On a parlé de divergences artistiques. Mais la vérité, si l'on en croit les auteurs, c'est que mon père n'était pas vraiment là. Qu'il arrivait en retard au studio. Et pas en état de chanter. Ni de discuter des arrangements avec qui que ce soit. Il était exsangue, épuisé, à bout de nerfs, le plus souvent défoncé. Gabriella refusait de le voir. Ne lui avait accordé que l'aumône d'un café dans un pub surpeuplé. Il avait insisté, campé devant chez elle. Son mec d'alors avait fini par lui mettre son poing dans la gueule.

Ça a continué des années comme ça. Elle l'a repris. Puis de nouveau lâché. L'a suivi sur certaines tournées. Les a abandonnées en cours. Quand elle a déménagé à Los Angeles, mon père s'est là encore mis en tête d'aller y enregistrer un disque. Une autre expérience qui a mal tourné. Aucun des musiciens, pourtant des pointures, ne lui convenait. Ils ne comprenaient rien à rien, pestait-il. Des requins de studio. Qui cachetonnaient. S'en foutaient du projet lui-même. Mon père prononçait ces mots à leur sujet, mais à en croire certains de ses collaborateurs, Jeff lui-même, cité dans les deux livres, c'était lui le moins impliqué de tous. De nouveau il n'avait que Gabriella à l'esprit. On raconte qu'il avait disparu en pleine session, pendant plusieurs jours. Qu'on avait fini par le retrouver dans une maison donnant sur la plage. Gabriella était avec lui. Mais cela n'a pas duré cette fois non plus. Mon père est rentré et a tout réenregistré à Paris et à la maison, avec ses musiciens habituels, et sous sa seule direction. En définitive, aucune de ses collaborations n'a jamais abouti. Il a écrit, composé, arrangé, réalisé tous ses disques lui-même. Le même ingénieur du son les a mixés. Le même studio masterisés. Jeff y joue de la guitare sur tous les titres, à l'exception du premier album : ils se sont rencontrés sur la tournée qui a suivi. Trois batteurs se sont succédé au fil de sa carrière. Deux bassistes. Seuls les cuivres, sur les premiers disques, les cordes, sur les derniers, ont changé au fil des années. Il assurait lui-même les claviers, certaines parties de guitare, l'harmonica dans sa période folk. C'était une autre époque. Où les maisons de disques permettaient ce genre de caprices à un artiste de son calibre, dont les disques s'écoulaient par centaines de milliers. Des sessions à Londres, Los Angeles, et même Tucson les dernières années, en pure perte. Jetées aux orties. Programmées dans le seul but de rejoindre Gabriella. Il partait en vrille quand elle lui laissait porte close. Ou le lâchait après l'avoir repris quelques jours.

Aucun des livres ne fournit d'explication quant au caractère orageux, intermittent de cette relation. Aucun d'eux non plus ne mentionne la façon dont mon père a fini par la prendre dans ses filets et la retenir auprès de lui pendant deux ans, avant de la perdre pour de bon. Quant à moi, je ne peux me fier qu'à ce que j'ai vu. Mon père la vénérait. Son long corps d'Ipanema. Ses seins menus. Son cul haut perché. Sa peau brune constellée de grands bijoux dorés. Son sourire vorace. Son extravagante coupe afro. Ses manières de parler fort, de rire aux éclats. La violence de ses colères. Elle l'aimantait, le rendait dingue. C'était une fille intensément vivante, tellurique. Aussi solaire qu'il était taciturne. Aussi limpide qu'il était labyrinthique. Aussi joueuse et tendre qu'il pouvait être fermé, coupant. Je suppose qu'à l'arrivée les contraires ont fini par s'opposer tout à fait, jusqu'à devenir inconciliables. Un mélange instable, qui menaçait d'exploser en permanence. J'imagine aussi qu'elle ne goûtait que modérément la vie retirée qu'il lui imposait entre deux tournées. Quand la maison se remplissait je la voyais rayonner. Danser sous les étoiles une bouteille dans une main, une longue cigarette dans l'autre. S'enivrer et rire, entraîner chacun dans son aura de joie et d'électricité. Mais tout se gâtait quand elle demeurait seule avec mon père. Elle lui reprochait de la maintenir captive dans cette putain de forteresse au milieu de nulle part. D'être vieux et chiant. De ne penser qu'à sa musique. Elle répétait qu'elle allait finir par se tirer loin de ce trou. Qu'elle en avait sa claque de vivre au milieu de ces ploucs, avec pour seule compagnie un ermite en santiags qui lui faisait le coup du génie torturé.

Elle ne m'a pas prévenue le jour où elle a mis sa menace à exécution. Je suis rentrée du lycée et elle n'était plus là. Avait emporté toutes ses affaires. Ses vêtements, ses produits de beauté, ses livres, ses disques, ses bijoux. J'ai fait le tour des pièces et il ne subsistait aucune trace de son séjour parmi nous. J'ai cherché en vain un mot quelque part. Un signe qu'elle m'aurait adressé. Mais rien. Elle m'aimait bien pourtant, je crois. Nous nous étions attachées l'une à l'autre. Pas comme une belle-mère à sa belle-fille, non. Rien de ce genre. Jamais elle n'a songé je pense à jouer ce rôle auprès de moi. Jamais d'ailleurs elle n'a fait mine de se comporter ainsi. Mais plutôt comme une grande sœur un peu délurée, qui se serait donné pour mission de décoincer sa cadette, trop secrète, trop sage, trop effacée. M'emmenant avec elle dans ses virées en ville, chopant Clara au passage, me tendant ses cigarettes, un joint quelquefois, le fond de ses verres, m'offrant les parfums dont elle prétendait s'être lassée, le maquillage dont elle ne se servait plus. M'habillant de ses robes insensées, me fardant les paupières, peignant mes lèvres, coiffant mes cheveux. Jouant à la poupée. Me grimant en femme-enfant fatale. Me refilant ses livres après les avoir lus, m'initiant ainsi aux joies d'une littérature qui ne franchissait pas la porte des établissements scolaires. Plus crue. Plus sauvage. M'attirant à elle sur le canapé tandis que nous regardions des films qu'aucun cinéma du coin ne diffuserait jamais. Me questionnant sur ce que je voulais faire de ma vie.

Me taquinant au sujet des garçons. Ou des filles, si je préférais.

Après son départ, je n'ai plus jamais eu de nouvelles. Je n'ai jamais osé en demander à mon père. Pour qui son nom même était devenu tabou.

Elle vit ici.

Qui ?

Gabriella. Elle vit ici. Aux dernières nouvelles.

Je n'ai rien vu venir. Rien. Tout s'abat sur moi en un instant. Ces rencontres de hasard. Sa façon de m'aborder. Ces questions murmurées dans la nuit. Son écoute studieuse tandis que je me colle à sa peau, que ses mains se promènent sur la mienne. Quelle conne.

Je me lève, m'habille, lui ordonne de faire de même. De quitter la chambre immédiatement. Je ne veux pas entendre ce qu'il a à me dire. Ce que je comprends soudain. Qu'il m'avoue en dépit de mes protestations. De ma fureur. Il est là pour lui, lui aussi. Il a vu les photos sur la Toile. A suivi la piste. Mené des recherches. Cela fait des mois qu'il y travaille. Il est déjà venu plusieurs fois ici. N'a jamais croisé mon père. Ou son sosie. Son fantôme. Je ne veux pas savoir comment il a découvert que Gabriella vivait ici. Ou y avait vécu. On perd sa trace, dit-il. Il y a une adresse mais elle n'y est plus. C'est la dernière qu'il ait trouvée. Je ne veux pas l'entendre affirmer que ça constitue plus qu'un indice concordant, presque une preuve. Que c'est bien lui, qu'il est bien là. Et que ça explique sinon tout, au moins certains aspects. Sa destination en premier lieu. Ici et pas ailleurs. Je ne lui réponds pas. Ne lui crache pas que je trouve son raisonnement absurde. Si mon père avait voulu la rejoindre, tenter de le faire, ou à défaut vivre là où on l'avait repérée pour la dernière fois, chanter dans les rues de sa dernière adresse, dans l'espoir de la voir surgir un jour, quel besoin aurait-il eu de partir en pleine nuit. De laisser sa voiture au bord du fleuve. Et tout ce qu'il avait emmené avec lui dans le coffre, sur la banquette arrière, dans la boîte à gants. De laisser ses chaussures sur la berge. De faire croire à sa mort. Quel besoin aurait-il eu de m'y laisser croire.

Non je ne veux rien entendre. Je quitte la chambre et je pleure en dévalant les escaliers. Je me ficherais des claques mais je pleure dans les rues en pente, sous la bruine qui me trempe petit à petit. Je ne veux pas savoir qui il est vraiment. Ni pour qui il travaille. Pour quel journal de merde. Pour quel livre à la con. J'entends la voix de mon père au bord de la rivière le jour de sa soi-disant noyade : les rats. Je veux oublier jusqu'à son prénom. Guillaume. Son nom de famille m'échappe déjà, il ne l'a prononcé qu'une fois, je l'ai effacé. Je ne veux pas l'entendre tandis qu'il me poursuit et me supplie, me jure que même s'il finit par tomber sur mon père il n'écrira rien, il gardera tout pour lui. Je ne veux pas l'entendre quand il me rattrape, qu'il agrippe mon épaule. Qu'il me demande pardon. S'en veut de ne m'avoir rien dit. De ne pas s'être présenté. De ne pas m'avoir avoué qu'il savait qui j'étais. Qu'il l'avait su dès qu'il m'avait croisée, des jours plus tôt, errant de terrasse en terrasse. Alors il avait pensé que tout s'enclenchait. J'étais là pour le voir. J'étais dans le secret. Je savais qu'il était là. Que son corps ne reposait pas au fond du fleuve. Je ne le cherchais pas, non. J'étais là pour le voir, tout simplement. Pas une seconde il n'a pensé que nous étions pareils. Rendus aux mêmes questions. Aux mêmes hypothèses. Aux mêmes mirages. Aussi fous l'un que l'autre. À poursuivre un fantôme. Un visage flou sur des photos. Celui d'un mort. D'une légende.

J'ai hurlé et un homme s'est interposé. Un grand type bâti en buffet. D'un roux criard et le visage constellé de son. En anglais il m'a demandé s'il y avait un problème. Si ce monsieur me posait des problèmes. J'ai acquiescé. J'ai dit oui il me suit, me harcèle. Le type l'a ceinturé et l'a envoyé valdinguer sur le trottoir. Un fétu de paille. Un foutu sac de plumes. Je me suis enfuie tandis qu'il reprenait ses esprits, surveillé de près par le rouquin qui me faisait signe d'y aller, je pouvais partir tranquille, il s'occupait de le retenir. J'ai couru affolée jusqu'à la gare. Suis arrivée à bout de souffle. Ai consulté le tableau des départs. Me suis engouffrée dans le premier train pour la côte.

Par la vitre embuée se dessinent des immeubles, des terrains vagues. Un paysage incertain entre Lisbonne et l'Atlantique. J'essaie de me souvenir si je lui ai parlé de ces villes de bord de mer où l'on m'a signalé mon père ou son double. Je prie pour avoir, sur ce point au moins, su me taire. C'est bien la première fois que je regrette de ne l'avoir pas fait. Moi d'ordinaire rivée au silence. Mon écorce. Ma demeure. Simon me le reprochait. Jamais Sofiane ni Théo. Ils me manquent. J'ai envie de les entendre. De leur parler, pour une fois. De tout leur raconter.

Soudain la mer. Le train ralentit aux abords d'une station balnéaire. Au large le ciel se fend en deux. Une ligne droite trace la frontière des nuages. Au-delà c'est un ciel limpide qui s'approche. Les eaux se teignent d'un vert violent. Je laisse la ville défiler. Je descendrai à la prochaine, reviendrai sur mes pas si nécessaire. Ou partirai plus à l'ouest. Rejoindrai le bord extrême du continent, son dernier finistère.

J'ai quinze ans, bientôt seize. Mon père annonce dans la presse qu'il arrête tout. Donne ses dernières interviews. Puis se terre chez lui. Jeff n'est plus là. Il est mort un an plus tôt. Il n'aura vécu avec nous que quelques mois. Mais j'ai parfois l'impression que cela a duré des années entières. Quand je repense à cette période, que je revois la maison, il est là. Dans sa chambre aux volets clos. Dans le jardin, blême et toujours frigorifié. Le visage creusé. Les gestes hésitants, les yeux allumés. Il s'est installé ici à la sortie de sa dernière cure. Jure qu'il a tout arrêté. Affirme à qui veut l'entendre qu'il se retape à la campagne, loin des tentations. Pourtant quelques mois plus tard mon père le retrouve sans vie dans sa chambre. Sur la table de nuit, la seringue. La petite fiole. Le sachet de poudre. La cuiller. L'aluminium et le briquet. Où s'est-il procuré ces saloperies. Il me faudra des mois pour comprendre. À cette époque, avec Clara, nous fréquentons déjà la ferme. Ceux d'en haut, comme nous les nommons. Clara est folle de Jeff. Ses longs cheveux noirs, son visage émacié, érodé, que semblent avoir creusé mille vies en une. Ses tatouages sous l'immuable tee-shirt blanc, ses bras maigres et livides. Ses jeans troués d'où pendent des chaînes et des colifichets. Sa beauté dangereuse. Lui la regarde comme une enfant, l'embrasse sur le front, la serre dans ses bras, passe ses doigts dans ses cheveux. Comme il le fait avec moi. Comme il le fait avec chacun. De sa main traînante et douce. Qu'il pose sur une épaule, sur une joue. Avec mon père aussi, il agit ainsi. L'étreint. Lui baise le front. Sa tendresse d'ange déchu. Ses gestes désolés et bouleversants d'abandon. Ce sourire doux et triste qu'il accroche en permanence à ses lèvres. Le tremblement de sa voix. Quand a-t-il demandé à Clara de lui trouver ce dont il avait besoin. À quel moment leur a-t-elle, dans mon dos, posé la question. Auquel d'entre eux. Peut-être que j'invente. Ce n'était pas leur genre. Pour ce que j'en sais, ils s'en tenaient à l'herbe, qu'ils cultivaient eux-mêmes. Même si des années plus tard, quand la police a assiégé en vain la ferme, alors que tous, Clara comprise, étaient déjà loin, prévenus j'imagine, on a retrouvé des armes, des explosifs, des stupéfiants, un sac bourré d'argent planqué sous les lattes du plancher, laissé là dans la précipitation, dans l'espoir de revenir une nuit et de le récupérer sans doute.

J'ai quinze ans, bientôt seize. Mon père arrête tout et pendant les deux ans qui suivent, durant lesquels il ne sort que rarement de la propriété, puis plus du tout, rien ne change vraiment. Il ne me confie rien des motifs de sa décision. Je ne lui pose pas la question. Je l'entends parfois jouer. Je sais que ce sont de nouvelles chansons et que désormais il ne les compose plus pour personne, à part lui-même et, les premiers temps, en fin de soirée, quand on lui tend une guitare, une poignée de gens au village. Alors il chante certains de ses succès, et glisse une nouveauté. Quand on l'interroge il prétend que c'est une chanson écrite par d'autres, un groupe obscur, au fin fond d'un disque dont personne n'a jamais entendu parler. Je le vois quitter la maison pour ses promenades. Le plus souvent il se contente de gagner la rivière et le rocher où il s'installe pour pêcher. Nous ne passons en définitive que peu de temps tous les deux, en tête à tête. Quand je ne suis pas au lycée, ou chez Clara, ou encore à la ferme avec ceux d'en haut, je trouve la maison vide. Ou bien la porte de sa chambre fermée. Nous dînons quelquefois ensemble, mais toujours chez Paul et Irène. Qui lui donnent des nouvelles du village. Des uns et des autres, des récoltes, du givre, des exploits de tel ou tel pêcheur. Des naissances et des décès. Une immuable éphéméride.

Étrangement, nous ne nous sommes rapprochés que quand je suis partie de la maison. Durant mes études je rentrais un week-end par mois. Je le rejoignais aussi pour les vacances. Je n'étais plus une enfant. Ni une adolescente. J'étais une adulte, et sans doute cela lui convenait-il mieux. Ne planait plus au-dessus de nous l'ombre du père qu'il ne savait pas être. Soudain il s'inquiétait de ma vie, de mes cours à l'université, de mes projets. Et se livrait un peu en retour. Me parlait de sa mère, de son enfance à Belleville. De Jeff, de ma mère. Jamais de Gabriella. J'ai fini par lui présenter Simon. Ce week-end-là je l'ai vu accomplir des efforts surhumains pour se montrer attentif et affable. Le questionnant. Faisant mine de ne pas se froisser quand après quelques verres Simon lui a avoué qu'en matière de musique il ne s'était jamais trop intéressé à ce qui se produisait en France : les paroles avaient trop d'importance, la langue ne sonnait pas, annihilait d'emblée toute notion de rock. Quant à la chanson c'était pour lui un genre de folklore local, qu'il reliait à ses parents, ses grands-parents. Un truc d'un autre temps. Enfin, il ne disait pas ça pour lui bien sûr, dont il respectait la carrière, et puis au fond il n'y connaissait rien. Mon père ne l'a pas contredit. L'a poliment orienté sur un autre sujet. Puis a masqué son ennui en écoutant Simon lui parler de son travail. La Toile, les réseaux sociaux, le cloud, les start-up, tout ça n'avait pour lui aucun intérêt, ne lui inspirait au mieux qu'un mépris sans passion, je le savais. Mais il n'en a rien laissé paraître. N'a pas lancé sa réplique favorite quand on s'adressait à lui pour lui infliger une conversation dont l'objet l'assommait : pardonnez-moi de vous interrompre, mais vous devez me confondre avec quelqu'un que ça intéresse. Au moment de repartir je l'ai pris à part et lui ai demandé, alors ? Alors quoi ? Simon. T'en penses quoi ? Il a hésité un instant. Plissé les yeux et affiché son petit rictus tendre et moqueur. Puis a lâché il a l'air bien. Propre sur lui. Tout ce qu'il y a de plus moderne. Le genre pragmatique. Il détestait ce mot. Dans le fond comme dans la forme.

Les fois suivantes je suis venue seule. Mon père n'a jamais revu Simon. Mais ne manquait jamais, quand nous nous voyions, de me demander de ses nouvelles. Alors oiseau, comment va mon gendre idéal ? Bien, répondais-je. Il t'embrasse. Beurk, plaisantait-il en retour.

.

La ferme se nichait dans les hauteurs. Il fallait grimper longtemps, de lacet en lacet, puis laisser la route pour un large chemin caillouteux frayant parmi les châtaigniers. On débouchait alors sur un pré incliné. Des clôtures ne subsistaient que les poteaux de bois pourris, rongés d'humidité et de mousse. À l'intérieur de la bâtisse, tout était sombre et délabré, meublé au fil des récupérations. Les chambres consistaient en matelas miteux jetés sur le sol. Dans la cour se dressait un fatras de chaises rouillées, de chiliennes trouées et de tables de camping. Ils étaient une douzaine à vivre là. Je n'ai jamais trop su de quoi. Ils cultivaient quelques champs. Gagnaient un peu d'argent en vendant une partie de leur herbe. Confectionnaient des tas d'objets pour touristes qu'ils revendaient sur les marchés en été. Des bijoux, des poteries, des étoffes peintes à la main. Des sandales. Des émaux qu'ils faisaient cuire dans un four minuscule. Certains jouaient un peu de musique, se produisaient dans les villages en juillet et en août, sur les places, aux terrasses des bars, parfois dans des campings.

Toutes ces années, la troupe fut à peu près stable. Si un habitant disparaissait, aussitôt quelqu'un le remplaçait. Ils avaient tous entre vingt et trente-cinq ans. De temps en temps se pointaient un adolescent ou deux, qui ne restaient jamais longtemps. Des fugueuses en transit, des gamins en rupture de ban, je suppose. Nous ne posions jamais de questions. Ils formaient une sorte de communauté anachronique. Mélange d'altermondialistes, de zonards ruraux, d'écolos radicaux et de gauchistes révolutionnaires. Mon père les surnommait « les grands sales ». Je détestais quand il parlait ainsi. Alors, il m'apparaissait comme un vieux con. Un bourgeois, misanthrope et suffisant.

Certains semblaient ne jamais quitter la cuisine où ils débattaient sans fin, parmi les livres et les tracts qu'ils distribuaient à la sauvette sur les marchés, glissaient sous les pare-brise. Parlaient de révolution, de tout faire péter. Les autres se contentaient de tordre le fer de leurs pendentifs, de taper sur des djembés, de tremper des lambeaux de coton dans des bains colorés, de faire pousser une partie de la nourriture qui les alimentait.

Comment nous sommes-nous mêlées à eux. Je ne me souviens pas exactement. Nous avions découvert la ferme à l'occasion d'une de nos expéditions nocturnes. Y étions retournées, de jour, une ou deux semaines plus tard. Il y avait de la musique. Des filles affairées à décorer des bols de céramique. Des discussions passionnées auxquelles nous ne comprenions rien. Emma ou Cendrine a dû nous proposer un café, Yann de rester un peu. Et c'est ce que nous avons fait. Ce jour-là et ceux qui ont suivi. Clara s'est très vite intégrée. Elle participait aux tâches, tentait de suivre les débats, cherchait à s'initier à leurs thèses, à leur façon de penser et d'agir. Tout le monde l'aimait bien là-bas. Très vite ils l'ont considérée comme l'une des leurs, même si elle rentrait chez elle chaque soir, hésitait encore à sauter le pas.

Que je sois « la fille du chanteur » ne semblait par leur poser de problèmes. Cela me valut certes d'être qualifiée de petite-bourgeoise plus souvent qu'à mon tour. De fille à papa. Ils moquaient gentiment ma réserve polie, mes manières d'enfant sage. Mais c'était sans méchanceté. Des taquineries sans importance. M'accueillir aux marges de leur paysage les amusait plus qu'autre chose. Certains me vouaient même une affection sincère. Et aucun d'entre eux, quoi qu'aient pu vouloir me faire dire les enquêteurs qui m'interrogèrent après leur volatilisation et l'intervention manquée des forces de l'ordre, n'a jamais tenté de profiter de moi, de la notoriété de mon père, ni de l'argent dont ils m'imaginaient disposer à travers lui. Du reste sur ce point j'étais assez ignorante. J'aurais été bien en peine de trouver une quelconque somme à la maison. Et même d'évaluer à quel point mon père était riche. Bien sûr la propriété pouvait paraître cossue pour la région, quand bien même son isolement et sa localisation au cœur de territoires enclavés en limitaient la valeur. Certes il devait payer à Paul et Irène deux salaires que j'imaginais confortables, n'avait jamais mégoté sur les bons vins ni sur la nourriture quand les musiciens rappliquaient, ni négligé d'inviter tout le monde au restaurant après les concerts, s'était toujours paré de vêtements choisis, avait dépensé des sommes extravagantes en instruments et matériel d'enregistrement, mais pour le reste, au quotidien, rien ne trahissait à mes yeux les sommes considérables qu'il avait amassées au fil des années. En dehors des courts séjours à la recherche d'instruments auxquels il me conviait, mon père m'a toujours tenue éloignée des attraits du luxe et des facilités de l'argent. Je portais les mêmes vêtements que mes amies, ne bénéficiais d'aucune largesse particulière, n'en réclamais du reste aucune. Ne possédais aucun objet de valeur, n'ai jamais passé de vacances au bout du monde ni nulle part ailleurs, pas plus que fréquenté de palace ni ne me suis pavanée sur un yacht, une plage privée ou quoi que ce soit de ce genre. Le plus clair de ma vie consistait en repas simples et en soirées sans éclat auprès de Paul et Irène. En mornes semaines vouées à l'ennui d'un collège ou d'un lycée standard, où les heures s'écoulaient sans hâte, poussiéreuses, interminables. En après-midi banales dans la chambre de Clara ou dans la mienne, que nous occupions à nous maquiller, tester des coiffures, associer des vêtements, danser comme des dingues, nous bourrer de cookies et de Coca, parler de tout et de rien, pouffer sans raison, fantasmer sur des mecs, imaginer nos vies futures, bâcler nos devoirs. En expéditions le long des rivières, au milieu des champs, des forêts, où nous retrouvions des camarades, des filles du coin, des garçons de passage échappés des campings, joints et packs de bière, musique sortie des haut-parleurs, goût de la peau, de sel et de sueur, rochers chauffés à blanc, saltos s'abîmant dans l'eau trop froide, mains glacées sous la surface s'aventurant sous les maillots, langues se cherchant puis s'emmêlant, sang courant dans les veines, battant aux tempes, muscles tendus, cœurs palpitants, une vie magnétique d'adolescents sauvages. Puis ce fut la ferme et ceux d'en haut, chaque jour ou presque nous les rejoignions, parfois restions dormir, y passions le week-end. Il arriva de plus en plus que Clara s'y rende seule. Le bus s'arrêtait devant chez elle et elle ne montait pas. Toute la journée dans les couloirs du lycée j'espérais la voir surgir et l'entendre me dire qu'elle ne s'était pas réveillée, qu'elle avait dû prendre un autre bus. Mais cela ne se produisait que rarement. Désormais elle séchait la plupart des cours et désertait le plus souvent possible le domicile familial, passait de plus en plus de temps là-haut, s'éloignait de plus en plus de moi, et a fini par faire partie des leurs.

Ce n'est que vers la fin, avant que je parte pour Paris, qu'autour de mon père le ton a changé à la ferme. Jusque-là ses chansons avaient forcé le respect. Et son soudain retrait, cette absence radicale, lui valaient une admiration qui effaçait d'un trait ses années de compagnonnage avec l'industrie du disque, honnie par principe, sans distinction d'aucune sorte. Majors, producteurs à cigares, ou labels indépendants tenus à bout de bras par des doux dingues, peu leur importait, à leurs yeux cela revenait au même. C'était le système, ça relevait du capitalisme, d'une marchandisation de l'art, contradictoire en soi. C'était nécessairement pourri jusqu'à la moelle. Un commerce vulgaire. Pourtant quand l'un d'eux me confia une maquette, enregistrée sur un vieux huit pistes de fortune, ce ne fut pas seulement pour recueillir l'avis du maître, mais bien dans l'espoir qu'il la transmette à quelqu'un, avec sa bénédiction. J'eus beau leur répéter qu'il avait coupé les ponts, n'avait plus le moindre contact, ils ne me crurent qu'à moitié.

J'ai mis des semaines avant d'oser demander à mon père de l'écouter. J'ignore pourquoi j'ai tant attendu. Ce que je redoutais. Sans doute savais-je ce qu'il en était au fond ; après tout je les entendais jouer depuis des mois à la ferme. Certes je n'étais pas une spécialiste, la musique avait tant d'importance à la maison que j'avais fini par la tenir à distance, me contentais du silence ou d'une poignée de disques très nus que j'écoutais en boucle dans mes écouteurs, mais je savais reconnaître une bonne chanson, de bons musiciens. Mon père s'est saisi du CD avec un grand sourire. Il était dans un bon jour, semblait curieux, impatient même. Je l'écouterai ce soir, m'a-t-il assuré. Je te dirai.

Bien sûr le lendemain, et les jours qui suivirent, il ne m'en toucha pas un mot. À la ferme, on me pressait. Et quand prenant mon courage à deux mains je finis par lui demander ce qu'il en avait pensé il haussa les épaules. Émit un bref soupir. Sourit d'un air désolé. Tu sais, oiseau, je ne suis pas le meilleur juge. Le genre chanson de rue contestataire réaliste avec accordéon et tout le reste, ça n'a jamais été mon truc. Et puis j'ai déjà entendu ça mille fois. Mieux joué, mieux écrit. C'est un peu jeune, un peu immature. Pas très pro. Peut-être qu'en bossant... Il eut beau minorer je compris aussitôt qu'il pensait bien pire.

J'y mis les formes mais en vain. La déception se lisait sur leurs visages. Et s'ils ne parurent pas m'en tenir rigueur, le crédit qu'ils accordaient à mon père fondit en un clin d'œil. Ils ne m'en dirent jamais rien ouvertement. Mais cela devint vite évident, palpable. Et Clara me le confirma des mois plus tard. J'étais déjà partie mais dorénavant à la ferme on ne parlait plus du génial chanteur reclus, seulement de l'imposteur, du vendu, d'un suppôt de l'industrie du disque et du star-system, d'un vieux bourgeois ringard et corrompu, d'un collabo.

Clara n'est jamais repartie. Elle a fini par quitter sa famille et habiter à la ferme. J'étais étudiante alors. Quand je rentrais chez mon père j'empruntais l'Alfa et je montais chez eux. Je n'étais plus si bien accueillie. J'étais rentrée dans le rang. Le système m'avait mangée. Au fond ça ne les étonnait pas. Bourgeoise un jour bourgeoise toujours. Mais je venais quand même, malgré les remarques acerbes, les sarcasmes. Alors on te bourre bien le crâne dans ta fac. On est bien au chaud dans l'appart payé par papa. Je haussais les épaules. Je n'étais plus là pour eux. Seulement pour Clara. Je m'inquiétais pour elle, pour son avenir. Même si j'avais du mal à me l'avouer. La ferme, la vie communautaire, la révolution à venir, j'avais trouvé ça marrant toutes ces années. Ça me faisait même vaguement envie. Mais chaque soir je rentrais à la maison. Et jamais je n'avais songé à mener cette vie-là. Et même s'il m'était arrivé d'y songer, mon père l'avait senti et y avait mis le holà. Ce fut d'ailleurs la seule fois où, depuis qu'il m'avait prise avec lui, il agit comme un père. En m'envoyant faire mes études à Paris sans même me consulter. En demandant à Paul et Irène de m'inscrire en lettres à l'université, d'effectuer toutes les démarches nécessaires. En mettant à ma disposition un des appartements qu'il possédait à mon insu.

Quand je la sondais Clara répondait que j'avais tort, m'assurait que je me faisais des idées, qu'elle n'avait jamais été aussi heureuse, mais j'avais du mal à la croire. Depuis le début elle avait le béguin pour Éric, le leader du groupe, quoi qu'il en dise, en dépit de ses protestations et de ses grands principes. Pas de hiérarchie. Pas d'autorité. Pas de chef. Il avait pris le relais de Jeff dans son cœur. Tout le monde savait qu'il passait de fille en fille, de favorite en favorite, au sein de la communauté. Clara y avait eu droit deux fois, à l'heure où les soirées dérapent, dans les vapeurs floues de l'herbe et de l'alcool, et depuis plus rien. Je voyais bien qu'elle crevait de jalousie. Et quand j'arrivais et la trouvais là, dans la ferme délabrée, au milieu de la cour encombrée d'objets de toutes sortes, rouillés pour la plupart, habillée comme une hippie boueuse, le visage translucide et les joues creusées, quelque chose en elle me brisait le cœur. Elle me faisait pitié. Il me semblait qu'elle s'enlisait. Dans cette vie qui m'avait paru libre et joyeuse mais dont la tristesse un peu aigre me sautait, à tort ou à raison, désormais au visage. Tous ses camarades avaient salement vieilli et leurs lèvres s'affaissaient en un pli amer. Ils avaient l'air usés et absents, mécaniques, prisonniers de quelque chose. Je m'inquiétais de ses yeux las et de son corps amaigri. De sa pensée hiératique et de son rire étrange. Des mots qu'elle prononçait, qu'on aurait dit sortis d'une autre bouche, comme si on l'en avait fourrée. De la distance qui se creusait entre nous. Des petites piques qu'elle m'adressait elle aussi.

Elle a fini par disparaître, comme tous ceux qui vivaient là, quelques heures avant l'arrivée des flics. Je n'ai jamais eu de nouvelles. De son grand amour, si. Un jour la photo d'Éric est apparue à la une des magazines. On parlait d'une autre ferme, de groupuscules d'ultra-gauche, de sabotages. D'une séquestration. Dans les journaux s'égrainaient les noms de ses complices, ceux qui eux aussi avaient été mis aux arrêts en attendant d'être jugés. Yann, Cendrine, Emma, Rudy. Le nom de Clara n'a jamais été mentionné.

Je ne sais pas quand mon père l'a rencontré. Ni qui il était vraiment. Un fou solitaire. Un sage. Un illuminé. En tout cas c'était avant que mon père arrête. Alors qu'il travaillait sur ce qui serait son dernier disque. À cette époque il lui rendait visite plusieurs fois par semaine. Le consultait comme un érudit, un devin, un prêtre sans religion. Ses paroles le recentraient, le lavaient, disait-il. C'était un berger sans troupeau. Il l'avait été longtemps. Ne l'était plus. Vivait de peu dans une maison de pierre suspendue parmi les arbres et la roche, à flanc de gorge. Il y résidait seul et monacal. Je n'y ai jamais mis les pieds mais mon père prétendait que chez lui il n'y avait rien. Ni meuble ni objet, ni télévision ni radio. Qu'il vivait dans le silence et le dénuement. Cultivait lui-même ce qui le nourrissait. N'avait aucun contact avec la société. Ne descendait plus guère au village. Ses voisins les moins éloignés, parfois, lui ramenaient ce dont il avait

165

besoin. Pas grand-chose. Du riz, de la farine, du papier. Mon père disait : il n'a besoin de rien. La vie le traverse. L'air et le vent, l'eau des rivières, les arbres et la roche. Les bruissements d'animaux. Les états du ciel. La configuration des étoiles. Il a renoncé à tout le reste. Et si tu le voyais. La paix qu'il dégage. L'absolue sérénité.

Si je parle de cette rencontre c'est qu'il me semble qu'à son contact, quelque chose en mon père s'est altéré. Ou a fini de l'être. Une prise de conscience qui l'a mené à tout arrêter. Mon père aimait toujours autant la musique je crois. Elle était sa langue. Une vibration profonde au fond de lui. Elle le constituait, le hantait, le résumait. Mais tout le reste lui est soudain apparu dénué de sens. Ces salles pleines, les centaines de milliers de disques vendus, l'argent qu'il en tirait, la notoriété, le gonflement de son ego, la griserie médiatique. Il a donné quelques entretiens à cette époque. On y lit ces questionnements nouveaux. Écrire, composer devait suffire. Fabriquer une chanson, la chanter pour soi-même, pour ceux à qui elle s'adresse vraiment. Des amis. Des amours. Beaucoup de fantômes. Trois personnes de passage. Toucher une personne ou en toucher un million, quelle différence. À part le vertige narcissique que cela pouvait procurer. À cette époque déjà il me disait : écrire, chanter, je ne sais rien faire d'autre. Je ne sais pas vivre autrement. Je ne suis jamais aussi réconcilié que quand j'écris, que je compose. Que je joue et que je chante. Jamais aussi éparpillé que quand rien ne vient, que tout m'échappe. Mais les gens, le public. Ça n'a que peu à voir avec ça. C'est autre chose. De la vente. De l'après-vente. Il y a long-temps que je n'ai plus besoin d'argent alors à quoi bon. Il y a longtemps que tout cela me pèse. Tout ce qui suit la composition. L'achèvement d'une chanson. Te la chanter me suffirait je crois. La chanter à deux trois copains. À Jeff s'il était encore en vie. À ma mère. À mon père. Tout ce cirque m'épuise. Je n'en vois plus l'intérêt. Il y a quelque chose d'acide, d'abrasif, de destructeur à l'intérieur de tout ça, qui finit par me ronger.

Je l'écoutais et je me disais que son berger lui montait à la tête, à coups de sentences taoïstes, de sutras pour les nuls et de sermons zen. À l'entendre ce type était saint François d'Assises, vivait pieds nus et parlait aux oiseaux. Je n'ai pas mesuré à quel point tout ça le pénétrait, rencontrait quelque chose en lui. Quand il s'est mis à la méditation, je me suis dit : encore une crise. Il y en avait eu tant : ne plus boire ou ne vivre qu'à moitié ivre. Ne plus toucher aux joints ou fumer du matin au soir. Chaque fois dans le même but. Retrouver ce qui s'était perdu. La musique, les mots. Atteindre quelque chose. Une vie complète, vibrante, délivrée. Toujours je l'ai vu osciller. Traquer l'intensité aussi bien qu'une inatteignable ataraxie. Faire l'éloge du tourment comme celui de la sérénité. Arrêter de manger de la viande, ne plus se nourrir que de jus de légumes ou de riz. Bouffer n'importe quoi. Vivre dans le désordre puis réduire sa chambre à une cellule de moine trappiste. Ne plus écouter de musique ou ne plus quitter son casque. Se passionner pour telle ou telle religion ou se déclarer furieusement athée. Se plonger dans des précis de mécanique quantique, ne plus avoir à la bouche que le chat de Schrödinger. Ne plus parler que de poésie. La détester et ne plus croire qu'aux romans. Tenter d'en écrire un et tout jeter aux orties. Se mettre à la peinture et brûler toutes ses toiles. Se remettre à la musique et détester soudain le rock, la pop, la chanson. Ne plus jurer que par le rap, la soul, le classique. Le jazz, même. Se passionner pour les cordes, les cuivres. Ne plus croire qu'au bon vieux trio guitare basse batterie. Au piano solo. S'essayer aux échantillons, aux instruments synthétiques, à la musique assistée par ordinateur. Rejeter tout cela subitement et collectionner les vieux claviers analogiques. Louer les vertus de l'enregistrement direct, en une prise. Vanter les mérites du tout acoustique. Je l'ai vu prôner le retrait et la solitude. Puis quelques semaines plus tard la vie de meute, la conversation, l'échange ininterrompu. Je l'ai vu fuir les journalistes. Donner des entretiens en pagaille. Renoncer au public. Se produire dans des salles gigantesques, se lancer dans des tournées qui n'en finissaient pas. Combien de fois l'ai-je entendu dire qu'il n'y aurait plus de disque à son nom, qu'il n'allait plus écrire que pour les autres, se cantonner à la musique de film, composer pour un orchestre. Six mois plus tard un disque sortait, son nom et son visage s'affichaient sur la pochette, en une des magazines, ses mots au 20 heures, dans les émissions musicales, les talk-shows. Tout ce cirque qu'il affirmait exécrer un jour sur deux et dont il était un des meilleurs clients. Légèrement sardonique, roi du bon mot, prince de la pique et de la provocation. Je l'ai entendu se prendre pour un génie. Pour un imposteur. Pour une merde. Affirmer qu'écrire une chanson était un travail de titan. Prétendre que ça lui venait sans effort. Que l'inspiration n'existait pas, qu'il n'y avait que le travail. Que tout lui tombait d'ailleurs, d'en haut ou d'en bas, de quelque part. Je l'ai entendu se morfondre de vivre là, à l'écart, tourner en rond et mourir d'ennui, conchier les arbres et les rivières, la roche et les oiseaux. Je l'ai vu ne jurer que par le ciel et la vie liquide, les galets la terre et le vent. Je l'ai vu trépigner en attendant la prochaine tournée, le prochain déplacement à Paris, attendre le départ comme une délivrance, l'idée d'une vie enfin frémissante, battante. Je l'ai vu au bout de quelques jours ne plus en pouvoir, déjà vidé, rongé, vicié, sali, et n'aspirer qu'à rentrer chez lui. Je l'ai vu appeler tout le monde, inviter à tour de bras, remplir la maison jusqu'à ce qu'elle craque, se réjouir comme un gosse à cette idée, se plongeant sourire aux lèvres dans les préparatifs d'une fête immense qui semblait ne jamais devoir finir. Je l'ai vu au bout de quelques heures s'enfermer dans sa chambre et n'être plus là pour personne. Je l'ai entendu crier sur les toits qu'il se foutait de l'avis des autres. Et sombrer au moindre article négatif. Je l'ai entendu affirmer qu'il se foutait du succès. Et dégringoler dès que les ventes de ses disques n'étaient pas à la hauteur des précédentes.

Alors oui, le berger, ses mots qu'il consignait dans un cahier, j'ai pensé c'est une passade. Il s'était entiché de tant de gens par le passé. Un pêcheur philosophe. Un jazzman à moitié fou. Un écrivain soi-disant prophétique. Un rabbin. Un paysan du coin. Un physicien. Un philosophe. Un type versé dans le shamanisme. Mais le berger fut le dernier. Jusqu'à sa disparition il a continué à le fréquenter. Depuis qu'il avait tout arrêté il disait qu'il avait trouvé une sorte de paix intérieure. Que c'était un peu grâce à lui, qu'il lui avait ouvert les yeux. Et pour ce que j'en ai vu au fil des années c'était vrai. Bien sûr je m'inquiétais de cette réclusion progressive. De sa propension de plus en plus grande au secret. De sa manière de ne plus parler que par énigmes, lambeaux de phrases indéchiffrables. Je me disais il fuit la vie, c'est ainsi qu'il s'en sort mais à quoi bon. Si plus rien ne l'atteint, si plus rien ne le touche à quoi bon. À quoi bon vivre comme les pierres, les arbres, les rivières. Je me disais cela mais au fond, je savais bien que ma vie n'était pas si différente. Que je n'étais qu'une ombre, une spectatrice. Même à Paris, dans ma vie d'étudiante, puis plongée dans mes livres. Je demeurais à la marge. Et aussi, ce travail qu'il avait fait sur lui-même pour se délivrer de l'inutile, de l'ego, des attentes, des blessures, des doutes, de lui-même, à quoi bon si c'était pour quitter la maison dans la nuit, garer la voiture au bord du Rhône, laisser ses bottes sur la berge et s'enfoncer dans la nuit du fleuve.

Peut-être qu'à force de s'abstraire de lui-même, de se réduire à l'absence, de s'en remettre au silence, de couper tous les ponts, il ne restait plus rien de lui. Peut-être n'était-il plus qu'une écorce. Et qu'ainsi jeté à l'eau il a flotté jusqu'à la mer. Dérive encore. Quelque part au milieu de la Méditerranée. Peut-être qu'à force d'ascèse et de retrait, de sagesse et d'ataraxie, de méditation, on finit par se vider tout à fait. Privé de substance on n'est plus rien. On n'a plus qu'à se jeter dans le vide. On n'a plus qu'à se noyer. À se fondre dans l'air. Dans l'eau. Dans le rien.

Quand je débarque à Paris, je ne connais personne. La ville elle-même m'est étrangère. Je n'y ai que rarement remis les pieds depuis ce jour où mon père est venu me chercher et m'a prise avec lui. Une nuit par-ci ou par-là, toujours les mêmes hôtels, aux abords des salles où il se produisait, et de moins en moins au fil des années. Puis plus du tout quand il a mis un terme à sa carrière. Je n'avais depuis vécu qu'à la campagne. Le silence gonflé de vents, de grincements, de hurlements nocturnes, la rumeur des rivières, le craquement des grands arbres. Les gorges et les champs à perte de vue, les collines et les vallées. Les villages assoupis dès dix-huit heures, jamais vraiment éveillés, à demi morts, sauf en été.

Je vis seule dans l'appartement de Montmartre. Je suis une ombre lovée dans les deux pièces de son terrier. Je me fabrique un repaire. J'ai vécu chez ma mère, chez mon père, chez Paul et Irène, jamais chez moi. Je crée mon propre décor, dispose des lampes, des guirlandes. Des tapis, des cadres, des étoffes. Tout scintille doucement dans une nuit permanente. Le bruit des autres me berce et me protège. Dans les rues où je me perds, dans les cafés, les boutiques, personne ne me voit. Je me mêle à la foule, imperceptible. Je regarde, j'enregistre. Je bois ce qui m'entoure. Grande ville, mille lumières. Brassée de voix entremêlées, de visages entraperçus, de langues inconnues, de vies sans cesse en mouvement, occupées, jamais vacantes, dont tout m'échappe. Comment fait-on pour vivre. Quels gestes effectuer. Quels mots prononcer. Je l'ignore. N'ai jamais appris. L'université m'offre un semblant d'emploi du temps. Dans le brouhaha des amphis je demeure anonyme. Comme aux tables des bibliothèques. Aux balcons les plus hauts des théâtres. Dans la quiétude des musées. L'écrin des jardins pris dans le givre. En cours, lorsqu'on nous réunit par petits groupes je m'installe en retrait. Personne ne m'adresse la parole. À peine, parfois, un sourire, un hochement de tête. Un signe de reconnaissance qui m'étonne. De temps à autre, un enseignant prononce mon nom et je crois sentir quelque chose parcourir la salle. Une interrogation. Mais personne je crois n'imagine que je suis la fille d'Antoine Schaeffer. Pour mes camarades, mon père est, je suppose, ce chanteur qu'écoutaient leurs parents, qui les a accompagnés tout au long de l'enfance et de l'adolescence, et dont ils se sont détournés sans rejet, s'intéressant à de nouveaux groupes, de nouveaux chanteurs, de nouvelles formes de musique, au gré des modes et des courants. À force, il est devenu comme un membre de la famille. Un élément du paysage. Quelque chose dans le décor. Rien d'électif. Une présence imposée et consentie à la fois. Sans doute, tandis que l'on prononce mon nom, se demandent-ils un instant : est-elle de sa famille ? Une lointaine petite cousine. Puis ils se ravisent. C'est idiot. Tant de gens qui ne se connaissent pas peuvent porter le même nom. Rien ne les relie pour autant.

Les années filent. Je les regarde en transparence. Plongée dans mes livres, mes classeurs. Au fond des cafés où j'observe en secret. Au fond des cinémas les yeux rivés aux écrans. Ainsi je me sens à ma place. Effacée. Noyée dans la masse.

Quelques années après la fin de mes études, je rencontre Simon lors d'une soirée littéraire. Je n'ai jamais bien su ce qu'il y faisait. L'ami d'un ami d'un ami l'avait traîné là. Il jouait les pique-assiette. Il s'installe chez moi mais c'est moi qui m'insinue dans sa vie. En fait la mienne puisque je n'en possède aucune en propre. Ni Sofiane ni Théo n'y sont encore entrés à l'époque. Je vais où il va, fréquente ceux qu'il fréquente. Il a parlé de moi à ses amis, sa famille, tous savent qui je suis. On m'interroge, on s'intéresse. Ça ne dure que quelques semaines. Je n'ai pas grand-chose à dire et très vite on se lasse. La petite excitation des présentations se tarit vite, elle ne repose sur rien, et bientôt le vide la recouvre. D'autant que je ne suis pas à la hauteur. Je n'ai rien d'excentrique. Peu de traits saillants. Je prends rarement la parole, ne donne jamais mon avis. Je me contente d'être au milieu des autres. Je regarde, j'écoute. Un sourire me monte aux lèvres après un ou deux verres, la musique me grise. La joie qui m'entoure, la chaleur, les rires, tout me réchauffe et me comble. Si peu me suffit. Je suis cette fille qui n'a pas besoin d'exister pour vivre. Celle qui tremble quand on l'interroge, qui perd ses moyens devant une assemblée, dont le cœur s'affole quand on s'assoit à ses côtés, qu'on lui adresse un mot ou un simple regard. Je suis la fille seule au fond des cafés dont personne ne vient prendre la commande. Celle dans le bus la tête collée contre la vitre, le menton et la bouche cachés dans son écharpe. La fille perdue dans ses livres. Celle qu'on double dans les files d'attente, qu'on bouscule dans les couloirs du métro. Je suis la fille dans les musées, les galeries, qui noircit des carnets, note ce qu'elle ressent pour savoir ce qu'elle ressent. Je suis la fille qui dresse des listes. Des choses vues, qui font battre le cœur ou le serrent, de petites preuves destinées à elle-même, des vérifications.

Celle qui doute d'être en vie. Je suis la fille qui se glisse par les portes cochères, flâne dans les cours d'immeubles où elle ne vit pas. Celle qu'aimantent les fenêtres éclairées, qui guette les ombres, les traces de l'existence des autres. Qui toujours s'imagine qu'une vie l'attend, dont elle s'est absentée, dans les chambres, les salons, les cuisines entrevus. Je suis la fille que tout bouleverse. Deux vieillards se tenant par la main. Le baiser d'une mère sur le front d'un enfant. Des retrouvailles. Des amis qui partagent un verre. Je suis la fille dans les églises en été, sur les pelouses des jardins. Celle qui regarde la lumière dans les feuilles. Je suis la fille qui se perd dans les rues au petit matin. Qui marche dans la nuit sans raison. Je suis à jamais la fille de l'Amphi 4, la fille sur le canapé dont on a oublié le nom, avec qui elle est venue, son lien avec l'hôte du jour. Je suis la fille qui guette dans les rues la silhouette de Patrick Modiano, qui jamais ne passe par la rue Saint-Benoît sans penser à Duras. La fille de la rue d'Orchampt, de l'Abreuvoir, Saint-Vincent. La fille de la place Girardon, de la rue Francœur ou Lamarck. La fille qui marche dans l'ombre vert bouteille des arbres de la rue Caulaincourt ou de l'avenue Junot. Qui s'arrange toujours pour emprunter l'allée des Brouillards. La fille de l'autre côté de la Butte, de l'autre côté de la Seine, dans les bureaux silencieux avant l'arrivée des autres. La fille qui baisse les yeux.

Qui s'excuse d'avoir une question à poser, un conseil à demander. Je suis la fille qui lit des livres qui n'existent pas encore. Qui se glisse dans les mots des autres. Qui n'en revient pas qu'on lui fasse confiance, qu'on lui prête des qualités, qu'on l'embauche. Celle qui n'en revient pas qu'on lui accorde son attention, qu'on l'invite à prendre un verre. La fille avec deux garçons. Dans les bars, les restaurants, les appartements de travers.

Je suis celle qui aime les marées basses, la brume sur la mer. Les sables nus, les forêts en hiver, la pluie sur les toits. Les stations balnéaires hors saison. La fille sous les lilas des Indes en Ardèche. Celle qui attend un signe d'une amie d'enfance. Celle qui l'a perdue. Celle qui vient rejoindre son père. Celle qui partage son silence au bord des rivières. Celle qui entend des chansons qui n'existeront jamais.

Je suis la fille qui s'est laissé embrasser un soir, cinq ans plus tôt, sur un toit en terrasse rue Grégoire-de-Tours. Celle qui vit avec un garçon nommé Simon. Celle qui ne fait rien pour le retenir quand il s'en va. Celle qui embrasse les yeux fermés. Qui jouit sans un bruit. Celle qui a toujours froid. Qui s'endort en tenant une main qui finit par se dégager. Celle qu'on quitte par ennui.

Je suis la fille dont le père est parti dans la nuit. La fille dont le père a garé sa voiture le long du fleuve. Celle dont le père a laissé ses papiers, sa carte bancaire sur le siège avant. Sa guitare sur la banquette arrière. Ses bagages, ses livres de poésie dans le coffre. Ses chaussures au bord de l'eau. Celle dont le père a pris la peine d'enlever ses bottes noires pour se jeter à l'eau. Je suis la fille dont la disparition mystérieuse du père fait la une des journaux. Celle dont la mort du père attend d'être prononcée. Celle dont la mort du père sera actée par un jugement. Celle dont le corps du père demeure introuvable. Je suis la fille d'un père sans sépulture, sans cendres à disperser. Celle qui croit voir un fantôme sur une photo floue. Celle dans les rues de Lisbonne, sur les pentes de l'Alfama. Qui guette un chanteur errant, une étoile dépouillée d'elle-même, un ermite qui aurait tout laissé derrière lui. Sa maison, son compte en banque, ses amis, sa fille. Sa vie elle-même. Qui se serait défait d'une peau ancienne, réincarné en mendiant, en musicien vagabond. Un homme qui aurait choisi la dernière adresse de son grand amour. Pour lui chanter à elle, partout éparpillées dans l'air, les chansons qu'il lui dédie. Les offrir à quelques-uns, au hasard. Quelques-uns qui suffisent. Des mots comme glissés à l'oreille. Gratuits. Je suis la fille du Bairro Alto. De la Praça das Flores. Celle qui se confie à son pire ennemi. Qui se hâte vers la gare. La fille dans le train pour les bords de mer.

Le sel a rongé les faïences. Le plâtre des murs blanchis à la chaux. Je longe des maisons basses, des hôtels surannés, des restaurants affichant des airs de vacance. Je ne vois pas encore la mer mais on la sent partout dans les ruelles. Sur les places, les pavés ondulent comme des vagues, des courbes maritimes s'y dessinent, s'éclairent au soleil soudain éblouissant. Des fenêtres des vieux palais, aux étages, on doit apercevoir l'océan. Et tout en est contaminé, gonflé de ciel et d'horizon.

J'entends maintenant le ressac, sa brutalité, le fracas de l'eau contre les roches. Au bout de la rue le bleu vous aspire, l'étendue vous déploie. Je respire mieux tout à coup, réalise combien toujours mes poumons s'élargissent face au large. En bordure des sables, des eaux turquoise, des reflets aluminium. Des grandes étendues. Combien les rivières me nouent la gorge. Combien les fleuves me montent aux yeux et m'étranglent.

Je débouche sur la plage. Une promenade la borde, où les badauds flânent, lunettes de soleil sur le nez, dans les cheveux, enchâssées dans le col de leurs tee-shirts. Le long des roches où s'accrochent des maisons cossues, les sables dorés sont semés de dormeurs, d'enfants affairés, de ballons roulant jusqu'à l'eau. Je m'installe en bordure. Des tables et des chaises en plastique. Une paillote de bois. Une bouteille de vinho verde, la mention Douro sur l'étiquette. Souvent je me retourne. J'ai le sentiment qu'on m'observe. J'essaie de me souvenir. Lui ai-je parlé de Cascais, d'Estoril. L'ai-je croisé, entrevu, Praça das Flores quand le patron du restaurant m'a dit oui je le connais, ça fait longtemps qu'il n'est pas venu, mais il chante souvent là-bas, il y est peut-être. Était-ce avant, après, un autre jour. Courant vers la gare je suis restée sur mes gardes. J'ai guetté son ombre sur mes pas. Un instant j'ai pensé et puis même. Qu'il me suive. Pourquoi m'inquiéter à ce point. Qu'est-ce qui me pousse à croire que cette fois, à la nuit tombée, dans les ruelles de Cascais, sur le front de mer d'Estoril, ou plus loin vers l'ouest, aux confins extrêmes du continent, face aux dîneurs, surgira l'homme flou des photos. Le sosie trouble d'Antoine Schaeffer.

Mes doigts creusent le sable, le soleil me cuit la joue. Je ferme les yeux, j'entends le cri des oiseaux, la rumeur des vagues, des eaux qui s'écrasent en douceur puis se retirent dans un cliquetis de cailloux minuscules. J'entends les piaillements des enfants, des bribes de musiques échappées de haut-parleurs portatifs, des conversations dont je ne saisis rien. Une langue douce et lascive, où rien n'accroche, qui coule comme un alcool sucré. Le sommeil m'effleure, se pose sur moi comme un drap léger. Je n'y sombre pas, reste en surface. Rien ne me pèse. Mon cœur ralentit, bat à son exacte mesure. Des heures entières pourraient passer ainsi. Leur écoulement seulement signalé par l'efface-ment progressif du soleil, l'orange de plus en plus pâle sous mes paupières, la tiédeur émoussée lais-sant soudain s'abattre un voile d'air un peu frais sur la peau. À l'intérieur tout tourne, tout valse. Je n'ai rien mangé depuis la veille, n'ai pas l'habitude de boire ainsi, en pleine journée, sous le soleil. Il me semble que tout tangue autour de moi, que tout est ivre. La plage, la mer dans son balancement, la ville et ses promeneurs qu'un rien fait sourire.

J'ouvre les yeux, me redresse, chasse le sable sur mes vêtements, dans mes cheveux. Quelques grains crissent sous mes dents. Le soleil décline et laisse maintenant les rues dans l'ombre. Je marche au hasard. Rues commerçantes, devantures à touristes, restaurants où l'on mange à toute heure des pois-sons nappés d'huile, d'ail et de sel. Ruelles désertes aux façades moins flambantes. Azulejos ébréchés. Plâtre s'effritant, gonflé de cloques. Crépis fissurés, pavés irréguliers sans motifs, parfois manquants, laissant la place à un carré de terre où se dresse une fleur mauvaise, une herbe sans pedigree. Peu à peu je sors de la ville, suis de loin les falaises, la route bordée de grands arbres. Cyprès, pins maritimes. Sur la droite, à flanc de colline, comme un carré de vigne contemplant la mer : un petit cimetière. Je n'ai pas besoin de m'approcher. D'ici, même à distance, je reconnais sa silhouette. Sa démarche. Ses vêtements. Et son geste de photographe, penché sur une tombe. Bien sûr, depuis que je l'ai croisé, je sais qu'il ne se consacre pas qu'à mon père. Qu'il enregistre tout ce qui attire son œil. Un passant, un pan de mur, des pavés disjoints. Une perspective. Des murs délavés dont les couleurs se perdent, ne sont plus que leurs propres traces. Il quitte le cimetière et s'éloigne. J'attends de le voir disparaître. Rebroussant chemin vers la ville il marche longuement en ligne droite, puis s'évapore au gré d'une rue traversière. À mon tour, je pousse la lourde grille. Marche au milieu des tombes que veillent des arbres ridés. Les allées de cailloux sinuent parmi les marbres. Partout gisent des bouquets décharnés, séchés puis détrempés, promis à la putréfaction, pareils aux corps qu'ils honorent. La dalle qui recouvre celui de Gabriella est simple.

D'un blanc phosphorescent. Le fixer tandis que le soleil s'y attarde vous aveugle. Et pourtant, ce n'est pas de brûlure que mes yeux coulent.

La plage est déserte, livrée aux oiseaux. Les lampadaires la repeignent d'une lumière argentée. En surplomb des eaux, les demeures bourgeoises aux façades compliquées s'illuminent comme autant de châteaux miniatures. La mer s'étend en un long drap de satin noir. Où sont passés les gens. Certains ont été emmenés par la nuit. Ils ont repris des trains, sont montés dans des voitures, gonflés de lumière, chargés d'horizon, rédimés. Cela ne durera que quelques heures. Quelques minutes. Déjà les poumons se resserrent, le cœur se dérègle, le regard rétrécit. Les nerfs de nouveau s'aiguisent. Les autres s'attardent un peu. Ont prévu un hôtel, consulté des horaires. Ils attraperont le dernier direct pour Lisbonne, s'offrent un verre ou deux en attendant. Il fait un peu frais mais partout on a prévu des couvertures. Les tables se pressent autour des chauffages au gaz, des lampes où viennent griller les insectes, diffusant tout autour une odeur ténue d'ailes brûlées, de carapaces incendiées. Je ne m'assieds

pas tout de suite. Ne commande pas de caïpirinha.
Comme chaque soir depuis mon arrivée je me laisse
guider. Par quoi je l'ignore. Une intuition. L'idée de
me glisser dans ses pas. D'être dans sa tête au moment
où il choisit l'endroit. Celui où il va déplier son tabouret portatif, accorder sa guitare, son médiator coincé
entre les dents. Puis gratter quelques accords, une
vague d'arpèges. Et enfin placer sa voix. Que j'imagine
usée et lasse. Abandonnée. Que j'imagine nue, désossée, errante. Un murmure, une caresse posée sur des
mots mystérieux, à l'éclat bizarre. Des énigmes. Des
images dont le sens d'abord échappe, mais qui
s'adressent à des régions très reculées en nous-mêmes,
insoupçonnables. Des mots qui creusent des galeries,
se fraient un chemin, se déploient à notre insu, et nous
augmentent, nous élèvent.

Je m'enfonce dans la ville où plus personne ne
marche. Tout le monde est à sa place. À l'abri des maisons. À la lueur des bougies en terrasses. Sous des
arbres qu'enflamment un projecteur calé contre
l'écorce, des guirlandes suspendues dans le ciel. Il y a
parfois des rues noires, qui semblent inhabitées. Volets
clos, fenêtres opaques, pas un son ne s'en échappe. Je
presse le pas, comme en fuite. Dans mon dos résonne
le battement mat et régulier de tennis sur le bitume.
Une démarche étouffée. Camouflée. J'accélère encore.
Me retourne et il n'y a personne. Plus aucun bruit.

J'ai fait plusieurs fois le tour. Suivi des voix dans la nuit. Des fados étranges. Des bossas dénudées. Des standards folks approximatifs. Certains se produisent dans les bars, les restaurants. En vitrine une petite affiche annonce leur passage. Les autres sont des musiciens des rues. Aucun ne ressemble à mon père. Je songe à la somme de hasards, au fatras de coïncidences qu'il faudrait pour qu'apparaisse l'homme de la photo. À la masse de déni qu'il me faut convoquer pour être là à le guetter. Pour sentir mon cœur se comprimer à l'idée de rentrer à Paris sans l'avoir aperçu. À la masse de déni qu'il me faut convoquer pour ne pas rire ni pleurer de tout cela. Ma folie. Mon aveuglement. Cette lubie à quoi je m'accroche malgré moi.

Après-demain je quitterai Lisbonne. Retrouverai Paris, l'appartement de Montmartre, le bus qui me mène de l'autre côté de la Seine, les manuscrits, les épreuves, Sofiane et sa délicatesse, sa douceur et sa mélancolie en apesanteur, Théo et ses grands yeux liquides, son rire sec, ses mots pointus, sa drôlerie implacable. Je leur raconterai ma semaine à errer de place en terrasse, de ruelle en belvédère. L'hôtel de l'Alfama et le château, les paons dans les jardins, les rues tombant dans le fleuve, les façades décrépies et la tristesse lasse des azulejos usés, les restaurants et les cafés où je montre la photo. La nuit du Bairro Alto, la foule interlope, les palais abandonnés où s'improvise un concert, un club éphémère, et ce type que je croise sans cesse, à qui je souris de toujours le trouver dans mes pas. Notre nuit menteuse. Le train pour l'ouest maritime. Je leur dirai tout du rêve idiot qui me traverse la tête. Même s'ils l'ont depuis longtemps deviné. Je leur rappellerai, comme s'ils avaient pu l'oublier, ce téléphone qu'ils m'ont tendu un soir, dans la lumière tremblante des photophores, la chaleur de l'alcool montée aux joues. Nous en rirons ensemble. Ils poseront leur main sur mon épaule, me serviront un autre verre, puis d'autres encore. Voudront m'emmener au cinéma. Ou dîner quelque part. Un restaurant calme où nous pourrons parler. De tout et de rien. De livres et de la vie, qui pour nous se confondent, s'enlacent dans une même respiration, un même mouvement. Je leur demanderai en réponse de m'emmener danser. Ou dans une soirée remplie de gens excentriques et passablement saouls. De gens légers et joyeusement désespérés. Volubiles et alanguis. Que la fatigue n'atteint plus. Que l'épuisement a rincés. Privés de toute carapace, de tout masque. Des inconnus qui m'accueilleront sans distance, me serviront des verres, me proposeront des cigarettes, s'effondreront dans le canapé à mes côtés, m'enlaceront sans équivoque, me consoleront sans le savoir, sans raison précise, parce que avec eux il en va toujours ainsi, on se console les uns les autres sans se poser de questions, sans avoir besoin de donner de motifs, sans préciser de causes. Une consolation collective et vivante, solaire, bourrée de cette énergie usée qui est le contraire de l'apitoiement, de la tristesse, de la complaisance. Qui se drape de douceur et de joie. Une mélancolie pareille à cette ville. Qui a depuis longtemps renoncé à ravaler les façades.

Une table se libère. Cernée de murs ocre et rongés, dessinant une petite Italie, la place encercle un arbre immense aux branches chargées de lampions. Des tables de fer peint s'y égaillent. Un serveur circule muni d'un plateau couvert de minuscules verres remplis d'alcools arrangés. Une odeur de rhum, de cannelle, de gingembre et de vanille se mêle au parfum de cire des bougies se consumant. S'il devait y en avoir un ce serait celui-ci, me prends-je à penser. L'endroit où il apparaîtrait soudain, comme surgi de nulle part. Déplierait son petit tabouret portatif, accorderait brièvement sa guitare et commencerait à chanter. La voix d'abord recouverte par les conversations indifférentes. Puis gagnant peu à peu, à force de douceur et de beauté, imposant le silence et l'écoute émerveillée. Et c'est exactement ce qui se produit soudain. Je ne l'ai pas vu arriver. S'installer. Je ne l'ai pas entendu s'accorder. Je ne sais même pas d'où vient la voix. Puis je l'aperçois. Des morceaux de son visage, parfois juste ses cheveux. Un bout de guitare, une main. Camouflés par les corps attablés, dont les conversations peu à peu se tarissent, dont les gestes se figent, maintenant accaparés par la musique. Je recule un peu ma chaise, me penche sur le côté pour mieux le voir. Sous le feutre noir son visage encadré de longs cheveux filasse, d'un blond usé mêlé de cendre, demeure une ombre aiguë. Les joues creusent deux fosses profondes sous les pommettes saillantes. Au-dessus du nez d'aigle se plantent des yeux translucides, d'un bleu glacé où rien ne passe. Je me décale encore. Contre la veste patinée, sous le long foulard de soie, calée sur les jambes maigres enserrées par un étroit pantalon de cuir, où butent deux bottines à bout pointu, sa guitare semble promise au rebut. Une vieille chose trouvée dans une brocante, au coin d'une rue en attendant d'être jetée. Et pourtant ce sont des accords d'une douceur inouïe, des arpèges

189

insensés qui s'en échappent. Il y dépose une voix d'où la rocaille s'est absentée, confinée à son timbre le plus chaud, le plus caressant. Une vieille chanson italienne sinue parmi les tables, contraint chacun à se taire. Bientôt je ne le vois plus. Une larme dans l'œil et tout se voile. Le cœur bat dans les tempes et recouvre tous les sons alentour. Des chansons qui s'enchaînent ne me parvient qu'un écho lointain. Même quand des mots français, une mélodie nouvelle, que je n'ai jamais entendue, tentent un adieu. Les applaudissements claquent et il salue d'un geste. Une main qui fait mine d'attraper le bord du chapeau et l'abaisse sur les yeux. Rien de plus. Il ne demande rien à personne, replie son tabouret, s'empare de sa guitare et s'éloigne tandis que les conversations reprennent, que de nouveau tintent les verres, les couverts, les rires, la musique sortie des haut-parleurs, comme en conserve, soudain réduite à la décoration, à l'anecdote. Je laisse la monnaie sur la table, essaie de me lever. Les jambes subitement fourrées de coton ou de liquide. Les yeux noyés. Des larmes sans sanglot, sans hoquet coulent sur mes joues malgré moi, en dépit de mon cerveau embué, de mes pensées sans contour. Il disparaît dans les ruelles et je le suis longtemps parmi les maisons basses réduites à des ombres, des masses au pochoir, des à-plats anthracite posés sur la nuit bleue. Aux marges de la ville ce ne sont plus qu'anciennes habitations de pêcheur. Étroites, minuscules. Certaines ont l'air à l'abandon, fenêtres murées, portes absentes ou éventrées, tenant mal sur leurs gonds rongés. Il pousse l'une d'entre elles et je le laisse m'échapper. Tout a la texture d'un rêve. Son ombre noire dans la nuit. Les maisons endormies, fantomatiques, à demi en ruine. La porte branlante qui se referme derrière lui dans un grincement arthritique. Le calme profond, à présent. Même la mer semble arrêtée. Aucun ressac, aucune rumeur n'assourdit. Je reste un moment perdue, désemparée. Sans plus aucun repère. Une main se pose sur mon épaule. Guillaume me lance un regard désolé et j'ai envie de hurler mais quelque chose obstrue. Aucun son ne veut plus sortir de ma gorge. Tout demeure coincé dans les poumons. Un cri muet. C'était lui ? J'ignore où je trouve la force de me dégager. De le gifler. De répondre non. Non ce n'était pas lui qu'est-ce que tu crois ? Il est mort. Tout le monde sait ça.

# III

## Le silence des rivières

J'ai pris un taxi pour Lisbonne. Plus aucun train ne circulait à cette heure. Ça m'a coûté une fortune. Une goutte d'eau dans celle que m'a léguée mon père. Tout ce qu'il m'a laissé en m'abandonnant comme il a abandonné le reste. Ses proches. Sa maison. Son identité. Sa vie elle-même. Il m'a laissée derrière lui comme la peau morte d'une mue. Un déchet sans importance. Qui séchera au soleil avant de pourrir dans les sables d'un désert aride.

J'aurais voulu que le chauffeur me parle, m'inonde de paroles sans conséquences. J'aurais voulu qu'il mette la musique à fond. Que le bruit recouvre tout, m'anesthésie. J'aurais voulu ne plus penser. Ne plus ressasser les questions. La colère qui m'assaillait. Les efforts qu'il me fallait produire pour la contredire, l'anéantir. Résoudre l'équation. Trouver une logique. Comprendre le geste. Et la place que je tenais, ou ne tenais pas justement, dans tout cela. Par instants quelque chose m'apparaissait. Un trajet. Par instants je parvenais à m'abstraire. À regarder mon père de loin. Son dépouillement progressif de lui-même. Son patient éloignement du monde et de ce qui l'avait constitué jusque-là. Le retrait. L'isolement. La tentative de revenir au complet anonymat. De quitter l'ego. De se dénuder jusqu'à l'os. Jusqu'à disparaître. N'être plus qu'une silhouette dans un pays étranger, sans attaches, sans nom. Un chanteur des rues. Un mendiant sans écuelle. Un troubadour mystique. Délivrant sa musique sans rien attendre en retour, l'offrant à quelques-uns, pris au hasard et disparaissant dans la nuit. Par instants je pouvais presque y consentir. Accepter ce qu'il y avait là-dedans de douleur, de folie. De délire. De volonté d'effacement et de dissolution. De fantasme de pureté inaccessible. C'étaient des sentiments que je pouvais comprendre. Qui parfois m'habitaient. Que mon père m'avait légués en héritage. Et qui avaient fini par figurer au rang de mes mythologies intimes. Mais sans cesse je butais sur quelque chose. Sur moi-même. Sur Paul et Irène. Sur les quelques amis qu'il lui restait. Je faisais tourner toute l'histoire dans ma tête, je tentais de relativiser le rôle que j'avais pu tenir dans sa vie. Tentais de me mettre de côté. À ma vraie place. Comme il l'avait toujours fait lui aussi. En périphérie de sa vie. Mais quelque chose s'échinait à bloquer, résistait. Pourquoi ne pas m'avoir mise dans la confidence. M'avoir imposé le mensonge de sa mort. Ne pas m'avoir laissé un mot : voilà, oiseau, cette fois je vais disparaître tout à fait. On annoncera ma mort et je le serai en quelque sorte. Mais sache que là où je serai tu occuperas un coin de mes pensées. Tu feras toujours partie de moi. Je te souhaite une belle vie. Adieu.

Un instant j'ai pensé à retourner là-bas. À le confondre. À lui demander des comptes. Un instant j'ai pensé appeler quelqu'un, un psychiatre, parce qu'à ce moment précis mon père m'apparaissait ainsi que j'avais toujours échoué à le voir. Ainsi que je m'étais épuisée à ne pas le voir. Un homme malade. Et soudain je le revis toutes ces années. Ses accès de plomb. Ses descentes profondes. Qui parfois duraient des mois. Je le revis tel que je n'avais jamais voulu le voir, tel qu'on l'avait parfois décrit. Le fou hirsute à la carabine. L'ermite dépressif. L'homme errant dans le jardin en marmonnant des mots incompréhensibles. Celui qui avait tenté de se noyer. Qui n'adressait la parole à quiconque pendant des semaines entières. Qui s'abrutissait d'alcool et se terrait dans sa chambre aux volets clos. Qui chantait pour les arbres et les oiseaux. Qui ne se nourrissait quasiment plus. Qui maigrissait à vue d'œil. Ne répondait plus au téléphone, n'ouvrait plus le courrier. Ne parlait plus que par énigmes. Passait ses journées avec un pauvre type qui jouait au prophète, un gourou sans secte dans une maison sans électricité, délabrée au milieu de rien. Un homme brisé. Par un grand amour déçu. La mort d'un père inconnu. Inconsolé d'avoir perdu sa mère. Et son double noir et dangereux. Jeff étendu livide la seringue encore fichée dans le bras. Mon père n'avait jamais veillé sur moi. Mais je n'avais jamais veillé sur lui.

La nuit défilait par les vitres du taxi. Le chauffeur taciturne semblait tomber de sommeil. Parfois les phares d'un camion le faisaient sursauter. Il maugréait d'être ébloui. La voiture faisait un écart et tremblait au passage des semi-remorques. J'ai sorti mon téléphone de ma poche et j'ai composé le numéro de Sofiane. C'est Théo qui a décroché. Il hurlait pour recouvrir le fracas des infrabasses, la stridence des accords répétés. Une pulsation cardiaque immense, décuplée. Un brouillard de cris, d'applaudissements, de paroles échangées entre deux chansons. Puis la batterie claquait, bientôt rejointe par les guitares, la basse, les claviers. La voix de Win Butler. Je lui ai demandé de ne pas raccrocher. De garder son téléphone allumé. Il ne pouvait pas me parler mais ce n'était pas grave. Je voulais être avec eux, entendre ce qu'ils entendaient. *Maybe we don't deserve love*, psalmodiait Arcade Fire.

Le taxi m'a déposée avant l'hôtel et j'ai gardé l'appareil collé à mon oreille. Parfois Théo ou Sofiane me criait quelque chose. Ils étaient complètement saouls. Débordaient de joie et de tendresse. Me hurlaient des mots doux et sentimentaux. Débridés par l'alcool et la transe. J'ai dû sonner quatre fois avant que le veilleur de nuit émerge du sommeil et se traîne jusqu'à la porte. Dans la chambre laissée à l'obscurité je me suis glissée sous les draps. J'ai mis le téléphone sur haut-parleur et me suis endormie ailleurs. Dans une salle de concert. À Pigalle ou sur les Grands Boulevards. Porte de la Villette ou de Bercy. Entre Sofiane et Théo.

J'ai quitté l'hôtel à l'aube et gagné l'aéroport. Lisbonne dormait encore. Un voile de brume la recouvrait. Tout semblait un peu triste et à l'abandon. Tout visait à disparaître. À se laisser engloutir.

À Orly ils m'attendaient. Épuisés et débraillés, exhalant un lourd parfum de sueur, d'alcool et de tabac, ils m'ont serrée dans leurs bras, m'ont demandé pardon, pour la photo, pour n'avoir pas su m'accompagner, m'écouter ni m'entendre, même au plus profond de mes silences. Pour n'avoir pas trouvé les mots, ceux qui auraient chassé la silhouette floue d'un fantôme sur l'écran, ceux qui auraient terrassé le doute et m'auraient dissuadée de partir à Lisbonne. Nous avons pleuré tous les trois. Eux d'épuisement et d'ivresse. Moi de les avoir pour famille. Puis nous avons peu à peu repris nos esprits. On t'emmène prendre un petit déjeuner ? J'ai acquiescé et les ai suivis dans le taxi. Dans le lacis d'autoroutes fendant les banlieues mornes. Dans les rues de Paris qui m'ont paru soudain si vivantes, limpides, éclatantes, étincelantes dans la grande lumière lavée d'un matin de printemps. Quelque chose s'échinait ici à ne pas disparaître, résistait tant bien que mal à la noyade. Plus que jamais je m'y suis sentie chez moi. Plus que jamais j'ai ressenti combien entre la ville et moi rien n'obstruait. Aucune distance. J'en faisais partie. J'y avais une place. Et elle me constituait désormais. On pouvait s'y délester, me dis-je. Se fondre dans la masse. Et faire peau neuve. Inventer quelque chose. Une vie peut-être.

Des semaines ont passé. Des jours incertains, des heures somnambules. Une saison brûlante, équivoque, liquide à force de chaleur. Le soleil se lève à peine. Je saute dans un taxi, indique l'adresse de l'auteur que je dois prendre au pied de chez lui, puis accompagner jusqu'à la Maison de la Radio. J'avais tort le concernant. On n'est jamais à l'abri d'un malentendu. Et du succès qui s'ensuit. On le demande partout. Et il semble adorer cela : les interviews, les plateaux de télévision, les studios de radio. Les soirées littéraires dont il est la vedette du moment. Et tant pis si tout cela contredit la réserve minutieuse, la pudeur sensible du texte qu'il porte ainsi. D'ailleurs il n'en paraît pas l'auteur. Tellement à l'aise face aux caméras, pérorant, un peu ivre de lui-même. Mais cela n'a pas d'importance, je crois. J'ai appris que celui qui écrit n'est jamais celui qu'on voit. Qu'il est par nature invisible.

Insaisissable. Caché profond sous l'écorce de l'individu. Celui qui écrit n'existe pas. Mon père a pourtant mis une vie entière à tenter de le rejoindre. À
se débarrasser année après année de ce qui faisait
obstacle. Je doute qu'il l'ait jamais trouvé.

Le juge a prononcé son décès un mois après mon
retour de Lisbonne. J'ai reçu une carte de condolé-
ances de ma mère. Assortie d'un genre de mandala
et d'un mantra plein de sagesse niaise sur la mort
et le deuil, elle tenait en peu de mots, parfaitement
impersonnels. Au passage elle m'informait qu'elle
vivait désormais à San Francisco. Passe nous voir
un de ces jours, concluait-elle. Mon cœur ne s'est
pas serré en pensant à elle, à la façon dont elle
m'avait laissée derrière elle, ainsi que le ferait aussi
mon père des années plus tard, à la différence près
que je n'étais plus une enfant.
En l'absence de testament, l'ensemble du patri-
moine de mon père m'est revenu. Ce n'est qu'alors
que j'ai pris conscience de l'étendue de sa fortune.
Je ne l'avais jamais interrogé là-dessus. Même ce
jour-là quand il avait dégainé l'appartement qu'il
me réservait à Paris. Il me l'avait proposé comme
une option parmi d'autres, voulait être sûr qu'il me
plaisait parce qu'il en possédait plusieurs, dans
d'autres quartiers, certains plus grands ou plus

lumineux, mais enfin, il avait pensé que Montmartre me plairait, s'accorderait à mes goûts, à mon caractère. En définitive, passé l'achat de la maison, la construction du studio d'enregistrement et les frais courants qu'il engageait sans compter, mon père n'avait dépensé qu'une infime partie des droits qu'il avait accumulés au fil des années. Il ne voulait rien en savoir. Refusait d'en parler. De gérer quoi que ce soit. S'était longtemps contenté d'en laisser une partie lui filer entre les doigts. Le reste dormait sur des comptes, aussi faiblement rémunérateurs que possible. Il affectait de ne pas s'en soucier. Prétendait abhorrer l'idée que l'argent puisse rapporter de l'argent. Clamait qu'il y avait là-dedans quelque chose d'immoral. Assumait mal d'en avoir gagné autant, en bon transfuge, en bon rejeton de travailleur que taraudait la mauvaise conscience. De guerre lasse, il avait fini par en laisser la complète gestion à Paul, qui depuis des années le pressait d'investir, et en ce domaine n'avait jamais juré que par la pierre.

Dans le lot figurait l'appartement où j'avais vécu avec ma mère. J'ignorais qu'il en était le propriétaire, l'avait tenu à notre disposition toutes ces années, sans jamais exiger de loyer. Je l'ai vendu. Comme trois autres. J'ai mis un peu de l'argent qui me revenait de côté. En ai dépensé une partie pour régler les frais relatifs à la succession et au transfert de propriété, à titre gratuit, de la maison. Elle est au nom de Paul et Irène dorénavant. Ils étaient contre mais je n'ai pas tenu compte de leur avis. Pour ce que j'en sais ils n'ont pas quitté la dépendance. Ont aménagé la bâtisse en maison de vacances pour leurs enfants, leurs petits-enfants, qui ne sont pas encore venus, s'annoncent pour l'été prochain, peut-être. Pour moi et mes amis aussi si je le souhaite. Quand j'en aurai la force. J'ai gardé deux appartements. Le mien. Et un cent mètres carrés rue Caulaincourt où se sont installés Sofiane et Théo, pas mécontents de quitter leur deux-pièces et de pouvoir donner de grandes fêtes bruyantes qui leur attirent l'hostilité des voisins. J'ai fait don de ce qui restait à différentes associations. Auxquelles je reverse au fur et à mesure qu'ils arrivent les droits d'auteur qui n'en finissent pas d'affluer. Les ventes de disques ont augmenté d'un coup. Ainsi que la fréquence des passages radio de ses chansons les plus connues. La parution du livre de Guillaume n'y est sans doute pas étrangère. Non plus que la reproduction de ses bonnes feuilles dans un magazine à grand tirage. Et la reprise de la thèse qu'il défendait, photos à l'appui. Sur le coup j'ai eu peur que cette publication ne remette en cause le jugement qui prononçait son décès. Mais le juge n'a pas considéré qu'il y avait dans ce ramassis d'élucubrations de quoi justifier la moindre procédure. Mon interview au 20 heures de France 2 a sans doute joué. J'étais terrorisée. Le présentateur a fait preuve envers moi d'une délicatesse et d'une pudeur dont je croyais ce genre d'individu incapable. Ses questions étaient douces, pleines de retenue. J'ai affirmé que le livre de Guillaume n'était qu'un tissu de mensonges. J'ai raconté que je m'étais moi-même rendue à Lisbonne à la même époque. Que j'avais vu le fameux chanteur des rues, le fameux sosie de mon père, son soi-disant fantôme, de mes propres yeux. Et que je pouvais témoigner qu'il ne s'agissait pas de lui. Simplement d'un chanteur des rues qui lui ressemblait vaguement. Ma voix a tremblé un peu, peut-être. Mais moins que je ne l'aurais cru. Au moment de prononcer ces mots et d'annoncer que je comptais poursuivre Guillaume en justice, ainsi que son éditeur, un individu qu'Alain méprise, tient pour un vulgaire chasseur de coups, qui ne respecte rien, une honte pour la profession, j'ai surtout pensé à mon père, me suis demandé s'il avait eu vent de cette histoire assez tôt, avant que d'autres admirateurs se précipitent à Lisbonne, persuadés que je mentais, que je cachais quelque chose, convaincus par le récit de Guillaume, croyant ce qu'ils avaient envie de croire, et peu importe que ce fût ou non la vérité. J'espérais qu'alors il serait déjà loin, qu'il aurait de nouveau disparu, posé sa guitare dans une autre ville, un autre pays, loin du vacarme qu'il avait cru semer des mois plus tôt. Sans doute était-ce le cas. Il s'était évaporé une première fois. Il le ferait encore. Autant que ce serait nécessaire. Jusqu'à disparaître tout à fait, se dissoudre, laisser derrière lui sa propre écorce et se fondre dans l'air.

J'espérais surtout, aussi improbable que ce fût, qu'il m'avait vue. Pour la dernière fois sans doute. Qu'il m'avait entendue lui dire au revoir en silence. Lui dire j'ai compris. Lui dire je t'aime.

Le visage collé contre la vitre, je regarde Paris défiler, et la vitesse ajoute de la lumière à la lumière du matin. La ville entière semble nimbée d'or liquide. L'automne en polit les contours. À mes côtés, l'auteur ferme les yeux, finit sa nuit le long de la Seine. Nous arrivons à la maison ronde et je le guide dans le dédale d'étages et de couloirs. L'assistante du présentateur vient à notre rencontre, nous propose un café, des viennoiseries. Derrière les vitres du grand studio le journaliste vedette de la station finit d'interviewer un homme politique. L'humoriste du jour se prépare à intervenir. Puis ce sera le journal et le passage d'antenne. On fait signe à l'auteur d'entrer et je m'installe en régie. Son interviewer vient me saluer, me parle avec chaleur, enthousiasme, c'est la troisième fois qu'il invite un de mes protégés, à ses yeux cela signe quelque chose, la sûreté de mes choix, dit-il, mon exigence. J'accueille

ses compliments comme s'ils ne m'étaient pas desti-
nés. Je me contente, me dis-je tandis que débute
l'entretien, de me laisser porter par le bonheur de
lire un texte et d'essayer de faire en sorte que
d'autres le partagent. J'essaie aussi d'accompagner
les auteurs. À l'intérieur de chaque texte. Et dans
leur parcours en général. On a si vite fait de se
perdre. De baisser les bras. De s'impatienter. De se
trahir pour tenter de gagner des lecteurs, répondre à
des critères, anticiper un tant soit peu la demande.
On a si vite fait de se perdre de vue. Et écoutant
mon protégé s'exprimer avec tant d'assurance et de
surplomb, épouser un soupçon de condescendance
quand il parle de ses collègues, se comparer plein de
fausse modestie aux plus grands, je sens bien que
c'est ce qui le guette, qu'il me filera entre les doigts,
qu'un petit éditeur ne lui suffira bientôt plus, qu'il
voudra autre chose, accumuler les signes de reconnaissance, celle qui lui est due, estime-t-il déjà, une
couverture prestigieuse, des prix, que sais-je. Je me
surprends à être agacée par celui que je suis censée
soutenir. Je sais pourtant ce qu'il en est. Depuis mon
enfance j'ai rencontré tellement d'artistes. De chanteurs, de comédiens, puis d'écrivains. Et je les ai toujours trouvés en deçà de leur musique, de leurs
films, de leurs livres. Parfois ce fut le contraire. Mais
je ne devrais pas être surprise par cette absence de

correspondance. Je repense aux interviews que donnait mon père. Sa façon de toujours éluder. De distribuer les bons mots et les provocations. D'être si pudique sous la carapace. Jamais il ne parlait de lui. Mais de sa musique, des autres musiciens, de littérature, de peinture, de poésie. De l'industrie du disque, des médias. J'ai souvent lu qu'il s'agissait là d'une volonté farouche de ne pas se livrer, de garder « son jardin secret » comme ils disent, de préserver son intimité et celle des siens. Je crois surtout que mon père était persuadé d'être décevant en dehors de sa musique. Persuadé qu'un artiste ne peut que desservir son art, ce qu'il a de meilleur à donner, ce qui est d'une certaine manière au-dessus de lui-même. Persuadé qu'il ne faisait qu'héberger le type qui écrivait des chansons, qui jouait sur scène. Et qu'il était un hôte misérable du créateur qu'il portait en lui. Une fois je l'avais entendu citer un autre chanteur, dont il détestait pourtant les compositions : les chansons sont plus intéressantes que ceux qui les chantent. Et quand ce dernier avait comme lui, au sommet de sa gloire, choisi de quitter le devant de la scène pour ne plus se consacrer qu'à l'écriture pour les autres et à son engagement dans une association caritative, j'avais vu le jugement de mon père s'altérer un peu. En dépit de ses chansons qu'il trouvait médiocres, il le respectait soudain. Un jour, après avoir éconduit d'énièmes journalistes qui s'étaient postés devant la maison, il m'avait dit : au fond, tout aurait été plus simple si au lieu de me planquer je m'étais tiré au bout du monde. Comme Brel. Ou si je m'étais tiré une balle juste après mon dernier disque. À la Cobain. Le timing aurait été parfait. N'aurait pas soulevé de questions. On m'aurait laissé en paix. Comme on a laissé Alain. Ils n'ont pas eu le choix. N'ont rien eu à se mettre sous la dent, ces rats. Il parlait de Bashung. Sans doute celui des collègues de sa génération à qui il avait voué la plus fervente admiration. Je l'avais laissé parler. L'avais laissé à sa paranoïa. À sa rancœur. M'étais bien retenue de lui faire remarquer que concernant Bashung son raisonnement ne tenait pas. Qu'il était même absurde. Si son dernier disque avait été conçu comme un adieu c'était parce qu'il se savait mourant. Il n'avait pas eu le choix. Pas plus que ne l'auraient Bowie ou Cohen quelques années plus tard.

De la génération qui l'avait suivi, parmi laquelle nombre de chanteurs se présentaient comme son héritier, il admirait la droiture autant que la musique. Ils ne sont jamais tombés dans les pièges, disait-il. Daho. Murat. Dominique A et les autres. Même quand Étienne est devenu une sorte de pop star. Ils ont toujours gardé la tête froide. Ne se sont jamais compromis. Et lui, me disais-je. S'il dit ça, est-ce parce qu'il considère s'être compromis. Avoir cédé. Pour tout un chacun, il était pourtant synonyme du contraire. Je suppose qu'il estimait pourtant n'avoir jamais été à la hauteur du songwriter qu'il abritait. À tort ou à raison. J'étais mal placée pour juger. Je ne l'avais connu que sur le tard. Je n'avais eu conscience de qui il était, de la façon dont il menait sa carrière qu'à quelques années de son retrait. Et celui-ci avait tout recouvert. Construit sa légende. L'avait peut-être entièrement réécrite. Qui sait. Je n'ai jamais été capable d'avoir un avis sur ses chansons. De les entendre. De les dissocier de lui.

La porte de la régie s'entrebâille et un homme se faufile. L'assistante du présentateur me chuchote qu'il s'agit du prochain invité, pour l'émission suivante. Puis elle blêmit. Réalise soudain. Sait que c'est trop tard. Que l'impair est commis. Guillaume s'avance. Me salue comme si nous nous étions quittés la veille. Comme si je n'avais pas traîné son livre dans la boue. Comme si je n'avais pas clamé que j'allais le poursuivre en justice. Comme si je ne l'avais pas giflé à Lisbonne. Comme s'il ne m'avait pas manipulée, menti, trahie, baisée. Comme s'il m'avait crue cette autre nuit dans les ruelles reculées de Cascais quand je lui avais dit que ce n'était pas lui. Je le regarde et j'ignore ce qui m'a poussée à le laisser me suivre à l'hôtel, à lui donner tant de moi. Ma peau. Mes souvenirs. Mon histoire de fantôme. Après ça je n'avais pas eu la moindre de ses nouvelles. Je n'avais pas cherché à en prendre, ni même à savoir qui il était vraiment. Je ne l'avais appris qu'à la sortie du livre. Bien sûr il n'était pas photographe autrement qu'en amateur, pigeait pour plusieurs magazines, cherchait à se faire un nom. Et il avait réussi. J'avais eu beau m'exhiber au 20 heures, une interview exclusive qui était censée clore le débat, éteindre l'incendie, confiner la rumeur, le bouquin avait connu un certain succès, et son auteur était maintenant demandé un peu partout. M'occupant de livres j'étais bien placée pour le savoir : l'imposture n'empêchait rien. Elle était même parfois un passe-droit, une clé qui ouvrait toutes les portes.

Je viens parler de Dylan, me dit-il. Je hausse les épaules et lui fais signe de se taire. Lui désignant le studio où l'interview se poursuit, portant ma main à mon oreille je tente de lui faire comprendre : je ne suis pas là par hasard. Ni pour l'écouter. J'accompagne l'auteur du moment. Dont les mots proférés au micro contredisent ceux qu'il consigne dans ses livres. Détourés. Cernés d'espace et de silence. Il m'obéit quelques secondes puis me glisse un merci. Pour n'avoir pas porté plainte, finalement. Après une brève hésitation, sa bouche se tord et narquoise se délivre : en même temps, tu sais très bien qu'il n'y a rien de faux dans mon livre. Et les lecteurs ne s'y sont pas trompés. Je le fusille du regard. J'aimerais être capable d'un esclandre. Lui balancer une tasse de café au visage. L'agonir d'insultes. Me jeter sur lui et le rouer de coups. Mais je n'ai plus en moi assez de colère. Envers quiconque. Pas plus lui que mon père. Tout cela est derrière moi. J'ai tout liquidé. Je ne suis plus la fille du chanteur. Je suis la fille qui accompagne un auteur dans le matin d'automne, le précède dans les couloirs de la station, vérifie qu'il ne manque de rien, se faufile en régie pendant qu'il brille. Celle qui le félicitera quand il se sera tu, le mettra dans un taxi avant de regagner le bureau en métro. Je suis la fille qui ouvrira des manuscrits, les annotera, contrôlera des épreuves, se glissera dans les mots des autres. Je suis la fille dans le bus qui fendra la ville en deux, du sud au nord, qui descendra trois stations avant la sienne, flânera dans les rues de Montmartre, à l'écart des touristes, empruntera des itinéraires secrets et précis, semés de rendez-vous précieux. Une façade. Un arbre. Des vitraux. Un jardin caché. La courbe d'une rue. La perspective d'une autre, qui semble plonger vers une mer invisible. Un café où se presse une petite foule qui toujours l'émeut sans qu'elle sache bien pourquoi. La fille chez Sofiane et Théo, dans la douceur de leurs regards, la joie mélancolique et la légèreté grave de leur vie. La fille qui dansera avec eux, errera dans la ville livrée à la nuit, échouera dans un rade bizarre où des inconnus sortiront une guitare et joueront pour le plaisir de jouer.

Je suis la fille qui l'interview achevée entre dans le studio, complimente l'animateur, lui promet de lui envoyer dès que possible les épreuves d'un roman à paraître qui pourrait lui plaire, la fille qui ressort et n'esquisse pas la moindre réaction quand Guillaume la poursuit, clamant à l'assistante inquiète qu'il arrive, qu'il en a pour une seconde, la retient par le bras et lui dit : il est parti. Je voulais que tu le saches. Je suis retourné là-bas et cette fois il est parti. J'y suis retourné plusieurs fois tu sais. Je lui ai parlé. Il a nié. Il a dit je ne suis pas celui que vous croyez. Vous faites erreur. Je ne sais même pas de qui vous parlez. Je vis ici depuis trente ans. Je suis un musicien des rues. Il avait un regard tellement lointain, tellement dingue, je n'ai pas su s'il mentait sciemment ou s'il était sur une autre planète, si lui-même avait oublié qui il était. Je te jure que ça faisait cet effet, d'un type complètement égaré. Je suis entré là où il vivait. Une maison abandonnée. Où il n'avait qu'un matelas et un réchaud. Je l'ai suivi à Lisbonne aussi. Il dormait dans des hôtels minables. Je ne sais pas avec quel argent. Cet été je l'ai vu passer la nuit sur un banc, pas loin des docks. Je suis la fille qui poursuit son chemin, qui fait mine de ne rien entendre quand il ajoute mais depuis plus la moindre trace, juste un tweet l'autre jour, un type, peu importe qui, n'importe qui, un quidam, qui écrivait j'ai croisé Antoine Schaeffer, un message posté depuis Valparaiso. Je suis celle qui presse le pas dans les couloirs, répond de laisser tomber quand l'auteur lui demande ce type t'emmerde, tu veux que je le dégage. La fille qui s'engouffre dans l'ascenseur et respire de nouveau. Qui accompagne le brillant auteur jusqu'à la station de taxis, se dirige vers le métro et ne s'y engouffre pas, choisit de marcher jusqu'à la prochaine station, puis la prochaine encore, qui finalement ne prend aucun métro, aucun bus. La fille qui marche dans la ville, le regard accroché aux façades, guettant des ombres, des silhouettes, des visages. La fille qui traverse les jardins, prend des rues au hasard, que les vivants bouleversent, que les mots des autres comblent, la fille qui ne veut pas disparaître. Qui peu à peu se délivre. Sourit pour rien dans les rues de Paris.

# Crédits

Le titre du roman est emprunté à Dominique A. *Chanson de la ville silencieuse* figure sur l'album *Si je connais Harry.* Ce titre fait lui-même référence à celui d'un livre d'Hubert Selby Jr : *Chanson de la neige silencieuse.*
Merci Dominique.

L'exergue est tiré d'une chanson de Jean-Louis Murat. *Chanter est ma façon d'errer* figure sur l'album *Le Cours ordinaire des choses.*

Le titre de la troisième partie, *Le silence des rivières*, est tiré de *Mon écho*, une chanson de Julien Doré, figurant sur l'album *&.*

*This Is Maybe the Place Where Trains Are Going to Sleep at Night* est une chanson de Noiserv (album *Almost Visible Orchestra*).

*The Famous Blue Raincoat*, chanson signée Leonard Cohen, figure sur l'album *Songs of Love and Hate.*

*Lilac Wine* est un standard rendu célèbre par Nina Simone (sur l'album *Wild Is the Wind*) puis par Jeff Buckley (sur le disque *Grace*).

*We Don't Deserve Love* est une chanson d'Arcade Fire tirée de l'album *Everything Now.*

On trouve par ailleurs dans ce roman l'écho de plusieurs chansons de Vincent Delerm réunies sur l'album *À présent* (*Danser sur la table, Les chanteurs sont tous les mêmes, Cristina, Le garçon...*) ainsi que du *Boulevard des Capucines* d'Étienne Daho (album *L'Invitation)* et de *Ton héritage* de Benjamin Biolay (album *La Superbe*).

Merci, enfin, et à leur insu, à Florent Marchet et au « fantôme » de Nino Ferrer, croisé à Lisbonne il y a maintenant sept ans.

# Table

Cet ouvrage a été mis en pages par

<pixellence>

CET OUVRAGE
A ÉTÉ ACHEVÉ D'IMPRIMER
SUR ROTO-PAGE
PAR L'IMPRIMERIE FLOCH
À MAYENNE EN OCTOBRE 2017

N° d'édition : L.01ELJN000826.N001. N° d'impression : 91786
Dépôt légal : janvier 2018
Imprimé en France